# VARIG
## *Brasil*

### Uma Estrela Brasileira

ACTION EDITORA

# VARIG Brasil
## Uma Estrela Brasileira

**ACTION EDITORA**

*A VARIG leva o Brasil para os quatro cantos do mundo.*

Edição e Design • Carlos Lorch
Fotografia • Wagner Ziegelmeyer
Carlos Lorch
Arquivos VARIG
Texto • Jackson Flores, Jr.
Arte • Pete West
Laboratório • Luiz César Alves
Introduções • Goetz Herzfeldt,
José Geraldo A. C. de Souza Pinto
Diagramação Eletrônica • Fatima Gonçalves Galvão, Haroldo Sodré e Tell Coelho

Reservados todos os direitos. Proibida toda e qualquer reprodução desta edição no todo ou em parte, seja eletrônica ou mecânica, incluíndo fotocópia, sem a prévia permissão da Action Editora Ltda.
Copyright © 1997 Action Editora Ltda. All Rights Reserved

A todos os funcionários da VARIG que nos apoiaram, à INFRAERO - Aeroportos Brasileiros, à Polícia Federal e à Receita Federal, nosso muito obrigado.

ISBN - 85-85654-08-2

Impresso em Hong Kong

Action Editora Ltda. - Av.das Américas 3333/817
Barra da Tijuca - Rio de Janeiro, RJ, Tel/Fax (021) 325-7229

*Descendentes de todas as origens que compõem o nosso povo, os comissários e comissárias da VARIG são conhecidos mundialmente pela simpatia e pelo calor humano tipicamente brasileiros no trato dos passageiros.*

*Depoimento*

# Uma Vida na VARIG

*Goetz Herzfeldt*

Eu nasci em Montenegro, Rio Grande do Sul. Meu pai e meu tio tinham em Porto Alegre uma indústria metalúrgica que fazia todo tipo de apetrechos para a indústria de construção para barcos bem como, tesouras de aço. Quando guri, eu freqüentava essa fábrica. Meu pai havia sido engenheiro de um navio mercante alemão que ficou internado em Rio Grande durante a Primeira Guerra Mundial. Um de seus companheiros de navio trabalhava na fábrica e me ensinava a manusear a maquinaria, alimentando o meu interesse pela mecânica.

Em 1932 ou 33, meu pai trouxe da Alemanha um grande papagaio de tela conhecido como Roloplan e que era capaz de voar a centenas de metros de altura. Eu e meu irmão ficamos entusiasmados com o brinquedo. Na mesma época passou por Porto Alegre o Zeppelin. Foi uma viagem de estudo, antes que aqueles enormes dirigíveis iniciassem as viagens regulares ao Brasil. Ele chegou imponente, cumprimentou a população e me impressionou muito.

Por volta de 1934, já com quatorze anos, eu acompanhava meu irmão, que tinha barco a vela - inicialmente um Iole de 15 metros e depois um Sharpie -, e ajudei-o a construir um barco de 11 metros de comprimento, fazendo o serviço de contra-rebitagem. Eu estava muito envolvido com a vela, tanto que nas antigas fotos da nova sede do Clube Veleiros do Sul o pimpolho que aparece junto aos fundadores era este que aqui escreve.

Mais tarde, já com dezesseis ou dezessete anos, eu estava enturmado com meu grupo de colégio, que naquele tempo se chamava Hilfsverein Schule e depois mudou o nome para Hindenburg Schule e em seguida para Ginásio Farroupilha. Era um colégio de turmas mistas, e na minha classe havia duas moças alemãs cujo avô também possuía um barco. De manhã velejávamos enquanto o vento era fraco. À tarde, quando o vento aumentava, eu saía com o grupo de colegas do Veleiros do Sul, que era no bairro de Navegantes, e íamos a pé até o aeroporto, onde havia o hangar da VAE - Varig Aero-Esporte. O velejar dos barcos era muito similar ao vôo a vela. Sentávamos nos planadores e nos equilibrávamos contra o vento, ou éramos rebocados por viaturas ao longo da pista.

Quando terminei o colégio, eu já fazia parte da VAE e voava de planador. Era algo bastante rudimentar. Nós os levávamos para o topo de uma colina e os lançávamos com um sandow, que era uma espécie de cabo elástico. Em pouco tempo eu já carregava no bolso as licenças A e B que habilitavam a decolar e fazer curvas. Em junho de 1937 o Comandante Ruhl me convidou para ingressar na VARIG, para em quatro anos ser piloto de linha aérea o que incluía um curso de aperfeiçoamento na Alemanha. Em 15/07/37 fui admitido na VARIG como aprendiz. Em março de 1938 iniciei o treinamento de vôo a motor no "novo" Klemm 25D de nome "Cuera" com motor HIRTH. Solei em 17 de agosto de 1938, com 4 horas e 4 minutos de vôo. Em setembro de 1938, adquiri a licença C, e no ano seguinte fiz o exame para piloto civil à motor. Em abril de 1939 segui para a Alemanha. Lá voei o Focke-Wulf Stieglitz 44, o Bücker 131 e o 180, Heinkel He-72 o Arado 66, Gotha 145, Junkers W-34 e o bimotor Focker Wulf 58 Weihe, ganhando muita experiência em acrobacias, navegação e procedimentos. A Alemanha daquela época se preparava para a guerra. Na época circulava uma piada muito popular:

*dois operários da Volkswagen resolveram levar a cada dia uma peça para casa a fim de montarem um carro. Após certo tempo um colega, a par do plano perguntou aos dois: "Como é, já conseguiram montar o carro?" E os dois responderam: "Já tentamos várias vezes, mas sempre que terminamos sai um tanque!"*

Havia muitas zonas onde o sobrevôo era proibido, o que muito auxiliou meus conhecimentos de navegação. Quando voltei da Alemanha, em outu-

bro de 1939, comecei a dar instrução, mas não tínhamos nenhum avião com o qual pudéssemos fazer acrobacia. Em fins de 1939, fui de trem a Goiânia, onde a empresa havia comprado um Bücker Jungmann que depois batizamos de "Zeca". O lugar era bem diferente da Goiânia de hoje. Só havia o Palácio, o hotel e a velha cidade, que ficava num vale. Após uma longa viagem, cheguei lá para buscar o avião. As ordens da companhia eram muito formais e escritas em alemão. Após as detalhadas instruções de viagem, a determinação:

*"...lembrar sempre o seguinte: Nada arriscar! Trazer a máquina inteira para Porto Alegre, o que é o único que nos interessa."*

*Otto Ernst Meyer."*

Depois de revisar o carburador e todos os outros componentes mecânicos da aeronave, e de fazer vôos de prova decolei rumo a São Paulo. O avião tinha um pára-quedas que nós mesmos dobrávamos, mas que não era muito confiável. Mesmo assim, e a despeito das bem impressas ordens que não deixavam margem a dúvidas, foi ali que matei a saudade do vôo de acrobacias!

Fui admitido na VARIG em 15 de julho de 1937. A primeira coisa que se fazia na VARIG era trabalhar na casa das bombas utilizadas para drenar o aeródromo. Minha primeira função na companhia foi a de carregar malas. Eu usava uma boina na cabeça, um macacão azul e um distintivo VARIG, mas o que eu fazia mesmo era carregar as malas para pesar e em seguida auxiliava no despacho dos passageiros. Antes disso, era também função minha preparar o avião. Eu retirava as lonas, abria o capô e passava graxa nas molas, pois as válvulas do motor daquele tempo não tinham lubrificação com óleo. Colocávamos Mobil Grease, um troço pegajoso que aplicávamos na frente das molas das válvulas dos cilindros, porque o vento trazia para trás e havia uma circulação de ar mesmo dentro da capota. Quando o avião voltava, tínhamos que limpá-lo por dentro, o que exigia que tirássemos os sacos de vômito da cabine, tarefa não própria-mente agradável. Tínhamos que fazer tudo porque éramos aprendizes de piloto. E, na filosofia alemã, é preciso cumprir bem as tarefas básicas para poder avançar rumo às funções mais complexas. Limpávamos os aviões e corríamos em direção ao hangar, onde trocávamos rapidamente de macacão para receber os passageiros de uniforme limpo.

Meus primeiros vôos na VARIG foram realizados como mecânico nos Junkers F-13. Eu sentava na cadeira da direita, e às vezes os comandantes nos deixavam pilotar. Cerca de um ano depois, passávamos para o lado esquerdo.

Meus primeiros vôos em linha, sozinho, foram no Junkers Junior A-50, levando carga ou correio e realizando incumbências especiais. Certa vez, por exemplo, fui examinar o aeroporto de Passo Fundo. Tinham feito o aeroporto mas ninguém ainda havia pousado lá. Os aviões naquela época, o A-50, F-13 e o Aceguá, não tinham rodinhas atrás. O processo de táxi era simples, mas exigia uma certa experiência, pois o A-50 também não tinha freios! Antes de mais nada, era preciso parar o avião. Depois acelerávamos e, ao mesmo tempo em que dávamos o pé no leme, tínhamos que dar um pouco de profundor para aliviar a sapata da cauda. Uma vez entrando na curva, conseguíamos virar. Em vôo, o A-50 era um avião muito nervoso e instável. Levávamos correio, jornais e documentos que facilitavam o tráfego da companhia.

Tive muita sorte com esses primeiros aviões. Voavamos com mau tempo e raramente tínhamos que pousar no meio do caminho. Para ir de Pelotas a Bagé só havia um jeito, que era seguir a estrada de ferro. Mas havia uma ligação telefônica pela estrada de ferro com a estação no alto da serra. Então ligávamos e perguntávamos:

- Como é que está aí? Você vê longe?

E respondiam, -Vejo!

Então a gente ia!

Os aviões mais velhos tinham a "bola e o ponteiro", o giroinclinômetro. Voava-se só com aquilo para atravessar as núvens. Mais tarde instalamos o horizonte artificial movido pelo ar sugado por um tubo Venturi afixado do lado direito da fuzelagem, e que muito nos ajudava. O painel de instrumentos era bem complexo: bússola, velocímetro, altímetro, variômetro e a bola e o ponteiro! E não era fácil voar com aquilo.

Depois do F-13 passei a voar o Messerschmitt, M 20B o Aceguá, um avião completamente diferente do pequeno Junkers. Era um avião com uma asa grande e alta, uma cabine para dez passageiros, um motor BMW de 600 cavalos e uma hélice de madeira em cruz, além de uma caixa de redução que fazia um barulhão na marcha lenta. O motor do Aceguá assim como o do F-13, era refrigerado a água e tinha um radiador que subia ou descia conforme se acionava uma catraca. Voávamos a uma altura de segurança - cerca de 1.000 metros - de acordo com o vento. Se havia vento contra, íamos bem baixinho, porque perto do solo ele é mais fraco do que em cima. Tinha muita bruma, e as queimadas nos campos atrapalhavam um pouco a visibilidade. Quando o tempo fechava, tínhamos que voltar para o aeroporto e esperar até que o minuano limpasse tudo.

No F-13 a cabine dos pilotos era exposta ao tempo, e quando havia mau tempo, fechávamos uma porta entre a cabine e o compartimento de passageiros, pois não era incomum enfrentarmos chuva ou neve. Voávamos com roupa de couro, capuz e óculos, mas não nos molhávamos na frente e sim por trás, pois a chuva batia na parede atrás de nós e molhava a roupa. Quando pousávamos, estávamos sempre molhados. As roupas eram colocadas diante da lareira nos hotéis, onde secavam um pouco até o vôo seguinte. Mais tarde a cabine dos F-13, foi fechada como a do W-34.

Quem viajava naquela época era porque gostava e não tinha medo de viajar. Mas eu de vez em quando admirava a coragem deles.

O grande problema do F-13 era a partida, que tinha que ser dada com ar comprimido. Em Porto Alegre e em Pelotas havia fábrica de "ar de cervejaria", que era como chamávamos o ar comprimido. Mas nas localidades em que não havia ar usávamos um pequeno compressor manual localizado do lado direito da cabine. Com ele, bombeávamos ar para uma garrafa a fim de acionarmos o motor cuja hélice era girada pelo mecânico/co-piloto. No entanto, quando a tripulação e até mesmo os passageiros já estavam cansados de tanto bombear, havia uma manobra que fazíamos com o pé para fazer girar a hélice. Era um pouco perigoso, mas funcionava. O Aceguá já tinha toalete, e as janelas podiam ser abertas durante o vôo, o que às vezes trazia problemas. Não era incomum passageiros atirarem seus sacos de vômito pela janela e acabarem acertando algum companheiro que, debruçado, admirava a vista!

A rota mais importante era a Porto Alegre-Pelotas, que fazíamos em cerca de uma hora e vinte e cinco a uma hora e trinta. Não havia cartas naquela época. Voávamos do jeito que os americanos chamam de *dead reckoning*, na base da estimativa e da observação do solo. Conhecíamos as estradas, as linhas telefônicas e o recorte da Lagoa dos Patos.

Voei como co-piloto no Junkers 52, uma excelente aeronave com três motores de 550 cavalos e quatorze assentos. Quando os 14 passageiros estavam acomodados em seus lugares, montávamos banquinhos no corredor, um de cada vez, para que o avião pudesse decolar com 21 passageiros, o que ainda estava bem dentro do peso de decolagem. Voei o Chuí, um De Havilland Dragon Rapide, britânico assim como o FIAT trimotor Gipsy minor de 4 cilindros, que apelidamos de Spaghetti. O Rapide era um avião de um piloto só e que tinha um goniômetro muito interessante, pois a antena direcional não podia ser girada. Tínhamos era que virar o nariz do avião para operá-la! Seus motores Gipsy Major de quatro cilindros eram fracos; muitas vezes chegávamos a nosso destino em descida lenta se um motor pifava. O Spaghetti tinha uma cabine desenhada para pessoas de estatura normal, mas como eu tenho um metro e noventa colocava o encosto sobre o assento. Tive que adaptar um cinto especial para poder caber na aeronave!

Éramos muito exigentes na instrução do vôo por instrumentos e treinávamos sempre recebendo os sinais de rádio nos mínimos de potência do gônio. Com a chegada do Electrinha, os pilotos já contavam com o ADF - *Automatic Direction Finder,* e as aeronaves eram tripuladas por telegrafistas. O Electrinha trouxe o vôo por instrumentos à VARIG. Fazíamos a "cortina de polarói-de", que consistia em colocar óculos escuros nos pilotos e sobre o vidro um plástico escuro, mas com polarização diferente. O aluno então via bem o que estivesse perto, mas tudo preto ao longe. Era rudimentar mas funcionava.

Com a chegada desses instrumentos, foi preciso equipar os aeroportos. Foi nessa época que a VARIG criou uma fábrica de transmissores e também montou uma organização que semeou estações de NDB e de comunicações de alta freqüência. Criamos usinas de força em cidades onde não havia energia elétrica suficiente, e já voávamos respeitando o teto mínimo de 100 metros para o pouso. Algumas dessas estações de comunicações ainda estão funcionando. Mais tarde, quando começou o vôo noturno, equipamos vários aeroportos com iluminação elétrica.

A chegada do C-47 mudou completamente a VARIG. O fim da Segunda Guerra foi excelente para a companhia. Estávamos com equipamentos alemão, italiano e inglês para os quais não conseguíamos peças. Em Natal havia dezenas de aviões como sobra de guerra, e fui com o Ruhl selecionar os aviões que queríamos. O DC-3 fez com que expandíssemos nossas rotas. Com o C-46, abrimos a linha para Buenos Aires, e já vislumbrávamos um crescimento real.

Quando chegaram os Constellation, em meados dos anos 50, eu já alternava o vôo com funções administrativas, e pude voar esse excelente avião. Além de chefe de instrução, e piloto chefe, fui eleito diretor técnico que abrangia a diretoria de operações. Existiam muitos Constellations: 49, o 049 e o 1049, além do 1049G e H. A diferença estava principalmente no tamanho, mas os Super Constellation G e H só se tornaram viáveis quando se encontraram motores adequados para eles. O escapamento desses motores passava por três turbinas PRT - *Power Recovery Turbine,* que eram acionadas em alta rotação pelos gases e que era traduzida em força ao motor por uma embreagem hidráulica, o que fazia com que o avião recuperasse cerca de 25% de potência. O Constellation normal não tinha alcance, mas as versões G e H dotadas desse motor passaram a ter cerca de 12 horas de raio de ação. Quando a Cruzeiro decidiu suspender seus vôos para Nova York com seus DC-4 sem pressurização, o que tornava aquela linha um fracasso para ela, a VARIG passou a ter aquela concessão, na qual utilizou com grande sucesso seus Super Constellation. O formato do avião no entanto dificultava muito a arrumação da cabine, apesar de ser uma aeronave bastante confortável para o passageiro. Começamos a voar com três Constellation sem tanque de ponta de asa. Voávamos as etapas Rio-Belém-Trujillo-Nova York em trechos de cerca de sete horas cada. Quando recebemos as aeronaves com os tanques nas asas e que chamamos de Super I, encurtamos a viagem voando direto no percurso Rio-Port of Spain-Nova York, feito em cerca de vinte horas incluindo a escala. O Sr. Berta queria ter o melhor serviço possível, e chegou até a tentar fazer churrasco a bordo! Ele queria que fizéssemos ovos estrelados na cozinha! O avião era pressurizado, e por motivos óbvios nenhuma das duas tentativas funcionou. Para não servir comida congelada, que tinha uma conotação ruim entre o público, a VARIG lançou a comida *pre-cooked,* que depois foi adotada por todas as outras companhias.

Eu não voei o Caravelle, mas estudei todas as especificações e os contratos com a fábrica francesa, assim como as especificações e os contratos de todas as aeronaves que se seguiram até hoje. O avião começou voando em vôos domésticos e quatro meses antes da chegada do 707 passou a fazer a linha Rio-Nova York, transformando-se no primeiro avião a jato a fazer esse percurso. Enquanto o Constellation voava a 500 quilômetros por hora, o Caravelle atingia 800 kph, uma velocidade consideravelmente maior. A Pan American ainda voava com o DC-7 quando a VARIG começou a utilizar o Caravelle nessa linha. Nosso Caravelle era da versão 2 modificado para a versão 3 e possuía um pára-quedas na cauda, uma vez que seus motores não eram dotados de reversores. Concluímos no entanto que o Caravelle não teria futuro na empresa, e logo depois chegavam os primeiros dois Boeing 707. Os motores naquela época eram os chamados jatos puros. De repente no entanto apareceu o motor Conway da Rolls-Royce, que introduzia o *bypass,* e com isso o avião voava com muito maior economia e conseqüentemente maior raio de ação. Para que funcionassem com perfeição, era necessário que a temperatura não estivesse muito alta durante a decolagem. Foi por isso que se criou o hábito de partir à noite. Saía-se tarde da noite, quando a temperatura estava a mais baixa possível. Interessantemente, esse hábito persiste até hoje, apesar de os atuais motores permitirem a operação em qualquer hora!

Quando a VARIG comprou o consórcio Real-Aerovias-Nacional, tentamos cancelar a todo custo o acordo que aquela companhia havia feito com a American Airlines para a compra de aeronaves Lockheed Electra. Havia ocorrido alguns acidentes nos quais as aeronaves perderam as asas. Um novo material utilizado na construção daqueles aviões originara os acidentes, mas logo a fábrica descobriu as causas e lançou o Electra II, que operou com grande sucesso na VARIG sem se envolver em qualquer acidente. Hoje, os Boeing 737-300 conseguem realizar as mesmas tarefas com um motor mais possante e um jogo de freios excelente, além de contar com uma asa melhorada.

Servi como Diretor-Técnico até 1989, acumulando também o cargo de Vice-Presidente do Conselho de Administração. Em resumo tive 57 anos na VARIG, 38 como Diretor-Técnico e 11 como Conselheiro da Administração.

Continuei na VARIG cuidando de diversas áreas ligadas a operações, e vi chegarem novos jatos para as linhas domésticas, além dos grandes *wide bodies* para nossas linhas internacionais. Foram muitos anos de experiência testemunhando o próprio progresso da aviação. Quando olho para trás, vejo com surpresa uma vida inteira na VARIG!

*Ao abrir suas diversas linhas rumo ao interior do Rio Grande do Sul, a VARIG teve que realizar diversas obras nos aeródromos que serviriam como destino ou escala. Para proteger seus passageiros contra as intempéries do tempo, pequenas casinholas como essa em Pelotas foram construídas em muitos dos campos de pouso. Por força das circunstâncias, essas pequenas construções eram a essência da simplicidade não dispondo de muitos luxos. O mobiliário consistia unicamente de bancos e cadeiras. No entanto, essas pequenas estações podem ser citadas entre os primeiro terminais de passageiros do Brasil.*

*Flagrante do Aeroporto de Guarulhos no final da década de 90. Ainda ostentando a pintura azul-preta-e-branca, diversas aeronaves da VARIG dominam o pátio. Nos principais aeroportos brasileiros, os aviões da companhia são prova visual da extensão dos serviços VARIG pelo país.*

*Depoimento*
# Hoje, na Cabine

*José Geraldo A. C. de Souza Pinto*

Eu já nasci no meio aviatório. Meu pai, Lili Lucas Souza Pinto, era piloto da VARIG, e foi um dos fundadores da VAE (Varig Aero Esporte). Ele começou voando planador e em seguida iniciou o curso de piloto comercial. No início de sua carreira foi chamado a São Paulo para fazer um curso de *link trainer*. Minha mãe foi junto, e, como estava grávida de mim, acabei nascendo lá. Quando estava com cerca de dois meses de idade, minha família voltou para Porto Alegre, e foi aí que embarquei no DC-3 (PP-VAZ) para o meu primeiro vôo na companhia!

Meus avós eram de Bagé, e não tardou que aparecesse a oportunidade de voar num Junkers F-13. De acordo com minha mãe, o avião era pilotado pelos comandantes Greiss e Wendorff. Eles voavam muito baixo, e ela conta que o avião jogava para todos os lados. Ainda segundo ela, apesar da forte turbulência, eu me divertia pelos corredores enquanto o Comandante Greiss comia uma coxinha de galinha na cabine. Foi essa a minha iniciação na aviação.

Meu pai era um daqueles homens que nasce com a aviação no sangue. A vida dele foi avião. Na VARIG, ele teve a chance de desenvolver essa vocação de forma marcante. Mas, apesar disso, ele nunca procurou me influenciar diretamente para que algum dia eu seguisse seus passos. No entanto, ele me influenciou muito indiretamente, já que desde pequenos eu e meu irmão Fernando o acompanhávamos até os aviões, onde explorávamos fascinados as cabines de comando, e pouco a pouco fomos tomando gosto por aquela atividade.

Montávamos aeromodelos, e desde aquela época meu irmão já apresentava uma tendência para construir aviões, enquanto eu os pilotava. Apesar de não sabermos na época, talvez tenha sido ali que tenhamos dado os primeiros passos em nossas carreiras, ele como engenheiro e eu como piloto.

Naquele período testemunhei muito da história da companhia. Cresci ouvindo falar em Ruben Berta. Várias vezes fui até a VARIG buscar meu pai no fim do dia e, enquanto minha mãe aguardava no carro, eu subia para buscá-lo, e às vezes precisava esperar enquanto homens que hoje são história terminavam uma ou outra acalorada discussão.

Minha mãe atuava como Assistente Social junto com outras mulheres de diretores da companhia, e às vezes eu tinha que acompanhá-la àquelas reuniões, o que eu decididamente detestava. Dois de meus tios também eram aviadores, um na VARIG e o outro na CRUZEIRO, e ambos com o mesmo nome de guerra - Comandante ABS. Através deles pude vivenciar as profundas diferenças que havia entre as duas companhias.

Lembro-me bem de quando mudaram a pintura da VARIG pela primeira vez. Eu estava no Salgado Filho esperando a chegada do primeiro Super Constellation vindo novinho da fabrica, sendo meu pai um dos pilotos a bordo, e logo ele fazia a aproximação para a final. Pouco a pouco aquele pontinho preto ia crescendo, e, quando todos pensavam que ia pousar, o grande quadrimotor passou rasante em frente ao terminal, mostrando para todos as novas cores. Foi um grande impacto na época.

Eu mal conseguia aguardar o meu décimo sétimo aniversário, quando finalmente poderia me inscrever num aeroclube. Um dia, enquanto comprava peças para meus aeromodelos, encontrei o Meneghini, funcionário da manutenção da VARIG e um entusiasta da aviação desportiva, e, na conversa que se seguiu, ele me perguntou por que eu ainda não estava voando planador, já que a lei permitia que eu me inscrevesse com meus quinze anos. Naquele dia mesmo eu já estava lá!

Minha dedicação ao planador foi total, e não demorei muito para solar. Meu pai detinha um recorde de permanência em vôo de 12 horas sem pousar, e logo eu já estava decolando para perseguir aquela marca. Não consegui batê-lo, mas cheguei perto, e, após nove horas de vôo, tive que pousar. Fui instrutor, entrei em vários campeonatos, e adquiri, nesse tipo de vôo sem motor, uma ótima base de pilotagem. Nessa época meu pai tornou-se diretor de operações da empresa, e viemos para o Rio, onde fiz meus cursos de Piloto Privado, Comercial e cursei a faculdade de física, até o segundo ano.

Certo dia acompanhei um amigo que me havia pedido uma apresentação ao Comandante Schittini para ingresso na Varig. Minha intenção era apenas de

apresentá-lo, uma vez que eu pretendia concluir meus estudos de física. Ao chegar em casa a família foi pega de surpresa quando contei que iria trancar a matrícula na faculdade, pois havia preenchido uma proposta para a VARIG.

Naquele momento havia pouca mobilidade entre os pilotos da empresa, e eu receava ter que voltar para Porto Alegre para ser co-piloto de DC-3 o resto da vida.

Certa noite, o Comandante Marroquim, que além de ser nosso vizinho era o Piloto Chefe da VARIG, passou lá em casa para me avisar:

– Arruma as malas que amanhã você se muda para São Paulo.

A notícia me pegou de surpresa. Eu nem sabia que ia morar em São Paulo!

–"Acabou a vida mansa," pensei comigo mesmo.

Operei o DC-3 por cerca de três anos. Congonhas não tinha radar, não tinha ILS e nem VOR. Havia muito nevoeiro, e era comum se formarem enormes prateleiras de aviões que ficavam circulando, espaçados por altura, enquanto aguardavam a permissão para aterrissar. Costumávamos sintonizar nossos receptores na rádio Panamericana, situada próxima da cabeceira da pista, e que era o grande macete para o pouso naquele aeroporto. Era uma operação bastante crítica, e operei assim em São Paulo desde o DC-3 até o B727. Depois colocaram equipamentos de precisão, como VOR, DME, Radar e o ILS.

A VARIG na qual entrei tinha um padrão de operações bastante rígido, uma vez que a empresa ainda sofria os reflexos da absorção do consórcio Real-Aerovias e era necessário integrar as novas tripulações aos nossos padrões operacionais, o mais rapidamente possível.

Comecei voando o DC-3 na Rêde de Integração Nacional, que na época eram línhas secundárias subsidiadas pelo governo. Para quem só havia voado PT-19 em aeroclube, e que praticamente saía da adolescência, voar um DC-3 pelo Brasil afora era muito gratificante. De repente eu estava enxergando o Brasil, tendo contato com pessoas e culturas bem diferentes das que encontrava no dia-a-dia, conhecendo o país de verdade.

Pousávamos em pistas que só vendo para acreditar. Muitas nada mais eram do que extensões de campos de futebol. Havia uma em Pedro Afonso, uma pequena cidade nas margens do Tocantins, em que pousávamos, onde havia uma pracinha na extensão. Era ali que fazíamos o táxi, girando a cauda para estacionar. Do outro lado da praça havia uma pensão. Descíamos do avião e almoçávamos. Quando voltávamos para bordo, os passageiros já haviam embarcado. Então subíamos à cabine e dali mesmo decolávamos. Era uma poeirada danada atrás do avião!

A aviação naquela época era realmente muito pitoresca. Em todas as escalas — e às vezes fazíamos vinte e tantas em dois dias —, o co-piloto tinha que descer da aeronave com uma grande régua na mão, subir na asa e medir a quantidade de combustível nos vários tanques, ao mesmo tempo que checava a quantidade de óleo dos motores, anotando cada medição. Por sorte nunca caí dali, mas soube de vários colegas que despencaram daquelas asas nos dias de chuva. E detalhe: para sair do DC-3 era preciso atravessar toda a cabine de passageiros (repleta de saquinhos de enjôo - cheios!), uma rampa estreita inclinada, esbarrando em pé de passageiro e poltronas, com aquela régua na mão! Voávamos baixo, sem pressurização, e o pessoal enjoava à beça. No começo eu achava que não iria agüentar aquele "ritual", mas os comandantes mais velhos me diziam que chegaria o momento em que eu nem sentiria mais o cheiro. E realmente foi o que aconteceu! Era um vôo pitoresco, voávamos em média a 3.000 pés, ou até mais baixo, em cima dos rios. O mais alto que voei no DC-3 foi 11.000 pés, de Porto Nacional para Brasília. Começamos a olhar as unhas para ver se não estavam ficando azuis devido à falta de oxigênio!

Certa vez eu me preparava para decolar de Campina Grande. O sol já estava no limite das operações visuais, e já íamos dar potência nos motores. De repente, e por sorte, notamos que à nossa frente, bem na linha de centro da pista, havia uma pessoa caminhando em nossa direção com uma mala na mão. Meio incrédulos reduzimos os motores e pedimos a um dos comissários para abrir a porta. O sujeito se aproximou da porta, jogou a mala para dentro, e, ajudado pelo comissário foi puxado para o interior do avião. Sem pestanejar, ele se sentou, e, como se nada houvesse acontecido, preparamo-nos para decolar de novo. Quando demos potência, o comissário irrompeu cabine adentro gritando para pararmos. Reduzímos novamente os motores e aí descobrimos que o passageiro de última hora acabara de "se tocar" de que estava no avião errado. O dele nem havia chegado!

Mais ou menos nessa época a VARIG comprou o Avro, e os pilotos novos iam direto para aquele avião enquanto os mais antigos permaneciam no DC-3, em fase de desativação. Sempre que eu ia almoçar com eles ficava escutando as conversas sobre VOR, ILS, pressurização, e, como eu não entendia nada daquilo, ficava extremamente frustrado. Fui falar com o Diretor de Operações em São Paulo, na época o Comandante Westarp, e reclamei com ele que os mais novos estavam voando Avro e eu ainda no velho DC-3. Ele virou para mim e disse: "Olha, um dia você ainda vai me agradecer por ter voado este avião." E realmente, muitos anos depois, quando eu já operava o B-707, ele fez um *extra crew* comigo e eu pude dizer-lhe: "Comandante, eu gostaria de lhe agradecer uma coisa", e relembrei a história. E hoje quando digo que vôo o Jumbo sinto que as pessoas têm uma certa admiração, mas quando digo que voei o DC-3 aí as reações são ainda mais interessadas: "Puxa, você voou o DC-3, como é que era?!". Ele foi um avião que realmente marcou a história da aviação, e me orgulho muito de ter voado umas mil horas naquela aeronave clássica.

Acabei indo para o Avro (HS-748) onde voei como co-piloto antes de sair comandante. Achei-o um avião incrivelmente confortável, equipado com tudo o que havia de mais moderno. Meu pai havia sido checador de DC-3 - ele gostava de me fazer umas perguntinhas que me obrigavam a dar uma olhada nos manuais —, mas não conhecia o Avro, e eu contava para ele como aquela aeronave inglesa funcionava. Certo dia ele entrou na minha cabine e quando viu o altímetro disse: "Puxa, esse é o altímetro que a gente precisa no Boeing", e logo a frota toda utilizava aquele altímetro.

O Avro era um avião engraçado, feito para ser voado praticamente por um único piloto. O co-piloto não fazia praticamente nada, só pressurizava a cabine. O sistema de pressurização, que hoje é automático, era feito manualmente, o que para mim foi ótimo, pois me forçou a entender o princípio de funcionamento de tais sistemas, hoje bem mais sofisticados. Tinha que fechar daqui, reciclar dali, e, se "errasse a mão", o passageiro, sentia o ouvido! No início de sua operação na Empresa, o comando do trem de pouso era do lado esquerdo, e quem o operava era o Comandante. Era ele também quem fazia a fonia e quem operava o *flap*. Logo que saí comandante, recebi um aluno para co-piloto e em seguida outro para comandante. Dar instrução foi algo que me realizou muito, um prazer que me acompanhou ao longo de toda a minha carreira. Sempre me preocupei em criar um ambiente agradável na cabine de comando. Hoje em dia existem estudos sobre a importância disso, mas na época eu sentia essa necessidade espontaneamente. É preciso saber o limite entre a descontração excessiva e o ambiente bom em que o pessoal consegue trabalhar tranqüilo e sem pressões.

O Avro também entrou nas linhas de integração, mas com algumas restrições. Havia por exemplo alguns campos de terra nos quais ele não podia pousar com pista molhada. No meu último vôo comandando um Avro (já estava com curso marcado para o B-727), a derradeira escala em pista de terra era em Alto Parnaíba. Naquele campo não havia nada além da pista e do pequeno terminal, nem mesmo uma estação de rádio para nos informar a direção do vento, e lá o Avro não pousava com pista molhada. Olhei para baixo e vi que o campo estava encharcado. Fiquei na dúvida se deveria arriscar o pouso enquanto notávamos pela janela que o aeroporto estava apinhado de gente pronta para embarcar. Pensei bem e concluí que não valia a pena correr o risco e atolar o avião naquele campo. Tirei dois rasantes sobre a pista para me certificar da impossibilidade do pouso e fui embora. Minha frustração somou-se à daqueles passageiros, pois sabia que aquela era a minha última chance de pousar num campo com pista de terra. Hoje sei que eu certamente teria atolado o avião, interditando a pista e criando uma enorme dor de cabeça para todos.

Nessa época meu pai voava o 707, e começou a introduzir os simuladores na VARIG, entre os quais o do Avro, que era estático, quase como um CPT (Cockpit Procedures Trainer). Ele se dedicou de corpo e alma à implantação do Centro de Treinamento, e eu acompanhei bem de perto e com grande interesse essa fase da carreira dele.

Nessa época, em vez de voar o Electra II (L-188), que acabara de chegar na companhia, optei por continuar na instrução do Avro, passando diretamente para o Boeing 727. Hoje me arrependo dessa decisão, pois sei que teria gostado de voar o Electra.

Do Avro para o 727 foi um salto muito grande, não somente por se tratar da passagem de um turboélice para um jato mas pela grande velocidade que aquele avião atingia.

Voei onze anos o 727, fui instrutor, checador, dei instrução na Nigéria, no Equador, na Aerolíneas e algumas outras empresas por aí. Na Nigéria havia muitos pilotos, suecos, holandeses e de outros países. Eram pilotos muito bons voando em condições precárias de trabalho. Sempre que eu via pilotos brasileiros se queixando das condições em que voávamos aqui, me lembrava daqueles pilotos forçados, por falta de mercado em seus países, a voar em condições muito piores do que as nossas.

O período em que operei o 727 me marcou muito. Era uma aviação excelente. Moderna para a época, e confortável para o piloto, principalmente porque a maior parte de seus vôos era para as capitais. Lembro-me de que formamos um grupo de doze comandantes e compramos um Dodge Charger em Recife e um Dart em Fortaleza, em função da quantidade de pernoites que tínhamos nessas cidades. Os carros eram baratos porque consumiam muito. Quando fomos promovidos para a linha internacional, nem nos preocupamos em vendê-los. Ambos se desfizeram completamente no estacionamento do hotel!

Algum tempo depois pude optar entre o Airbus e o Boeing 707, e, talvez já marcado pela paixão pelos aviões clássicos, optei pelo zero-sete. Eu havia visto quando aqueles aviões chegaram ao Brasil. Meu pai foi um dos pilotos que trouxeram o avião para cá. Na chegada a Porto Alegre havia uma banda tocando próxima à pista para festejar o evento. Eles passaram da mesma forma que passaram com o Constellation anos antes, só que desta vêz com um estrondoso barulho de quatro motores "jato puro". Após o rasante, a banda continuava tocando, só que o rítimo certamente não era mais o mesmo!

O 707 era mais antigo do que o 727, não tinha comandos hidráulicos, o que fazia com que o manche pesasse muito, além de não possuir alguns dos sistemas com os quais estávamos acostumados no 727. O 707 no entanto me deu muita bagagem de vôo internacional. Cheguei a ir para Tóquio, e fui para lugares inimagináveis com os cargueiros. Aquele avião foi uma grande escola para mim, principalmente no que diz respeito ao contato com áreas internacionais. Os cargueiros eram muito apertados para os seis tripulantes que se revezavam a bordo, dando a impressão de submarinos.

Quando fui para o DC-10, meu pai me deu instrução. Nessa época lembro que tive que me superar para não dar "vexame em casa". Após o treinamento, ao preencher minha ficha, meio constrangido escreveu: "Apesar dos laços familiares, não posso deixar de elogiar o aluno!" Nesse momento o instrutor tem que se despir de qualquer outra emoção e avaliar. E foi o que ele fez.

Eu vi bem a diferença do 707 para o DC-10, um avião cheio de automatismos, com comandos macios. Um avião supermoderno que agradava demais os pilotos. Tinha sistemas inerciais de navegação - o zero-sete ainda usava a navegação Doppler como sistema básico. Aquilo era horrível de operar. Enquanto hoje se navega com um erro em torno de uma milha para cada onze horas, com o Doppler o erro podia chegar às vêzes a mais de vinte milhas! É claro que existiam procedimentos para aferir o equipamento, mas era um processo que dava uma mão de obra terrível. Hoje em dia a navegação é feita com precisão cirúrgica.

Uma vez o destino fez com que eu desse treinamento para o meu pai. Eu estava no simulador para checar dois pilotos. Um deles faltou e meu pai, que gerenciava o setor, se prontificou para completar a tripulação. Quando entrei na cabine, lá estavam ele e o Comandante Ruhl. Lembro-me de que meu pai olhou para a esquerda e comentou: "A última vez em que voei com um Ruhl foi com o teu pai", referindo-se ao Comandante Carlos RUHL que havia sido seu instrutor na época dos aviões alemães no início da VARIG. Coisas do destino!

Assim como aconteceu comigo naquele último pouso em pista de terra, o destino pregou uma peça no último vôo da carreira de meu pai. Naquela época ele era comandante de Jumbo, e regulamentos recentes determinavam que todo comandante deveria se aposentar ao completar 60 anos. Havia ainda a opção de continuar voando como Primeiro-oficial, mas os pilotos das gerações antigas não sabiam o que era voar como "co-piloto", e nem admitiam isso. Meu pai então optou por se aposentar aos 60 e continuar dando instrução no simulador. Na véspera de completar 60 anos, ele se preparava para retornar ao Brasil, em seu último vôo como comandante de Jumbo. Tudo estava pronto para recebê-lo, a família preparara uma grande festa. No entanto, uma pane o obrigou a permanecer no exterior mais um dia antes de poder voltar. Assim, passou seu aniversário em Frankfurt, e no dia seguinte, com o avião já em condições de vôo, viu-se no dilema de chegar à cabine e ser obrigado, pelas novas regras, a voar como Primeiro-oficial. Ele não gostou nem um pouco daquela história, e, apesar da gentileza de seu colega Comandante Mancuso, que na verdade trocou de função com ele a bordo, nos registros ele figura até hoje como o Primeiro-oficial daquele seu último vôo. Coisas da aviação!

Em 1991, por ocasião de festividades no Museu Aeroespacial no Campo dos Afonsos, pude homenagear, da forma que eu mais queria, àquele que havia sido, além de um exemplar piloto comercial, um pai amigo, e meu instrutor. Ele não estava mais entre as pessoas no solo que admiravam a elegância das linhas do DC10 em passagens baixas sobre os Afonsos, mas descansava bem próximo dalí, bem na trajetória de meu vôo rasante.

Ao encerrar minhas atividades no DC-10, optei pelo B747-300, mais uma vez um *Classic,* no qual estou até hoje.

Além de voar, acumulei diversas funções administrativas, até chegar a Piloto-Chefe, função que atualmente ocupo. Se no início da carreira no DC-3 precisei sair para "conhecer de verdade o país" e mais tarde o mundo, através dos vôos internacionais, me vejo agora numa função em que preciso olhar mais para dentro da empresa, tomando conhecimento dos complexos processos administrativos e comportamentais da carreira dos tripulantes.

*O fim de uma época e o início de outra na imagem da VARIG. Ostentando a antiga pintura azul, branca e preta, um Boeing 737-200 está a segundos de distância do pouso e do fim de seu vôo, enquanto um Boeing 747-300 envergando as cores atuais da companhia taxeia na direção da decolagem.*

# Nasce uma Estrela
## 70 Anos de Varig

Primeira empresa de transporte aéreo, a VARIG foi precedida por outras empreitadas que tinham o mesmo objetivo. Antes mesmo de Santos Dumont fazer o seu 14-Bis voar no Campo de Bagatelle, os homens já sonhavam com a idéia de transportar pessoas em aeronaves. No Brasil, o mineiro Leopoldo Corrêa da Silva tentou organizar uma empresa de transporte aéreo denominada Sociedade Particular de Navegação Aérea. Em novembro de 1890, ele logrou

*Momento histórico para a aviação brasileira. Nas instalações da Casa Bromberg, sede da Associação Comercial do Rio Grande do Sul, 550 acionistas assistiram a assembléia de fundação da "Empreza de Viação Aérea Rio Grandense", a primeira empresa brasileira de transporte aéreo.*

vender um considerável lote de ações de empresa, pretendendo utilizar dois dirigíveis de sua propriedade para estabelecer uma linha entre o Rio de Janeiro e cidades vizinhas. Porém, somente nos anos imediatamente seguintes ao fim da Primeira Guerra Mundial é que foram feitas tentativas mais concretas para iniciar um serviço de transporte aéreo no Brasil. Nenhuma dessas empresas, algumas delas estrangeiras, conseguiu entrar em operação e caberia aos franceses dar início a uma companhia de transporte aéreo. Através de uma série de experiências em novembro de 1924 com três aviões Breguet 14T, essa empreitada francesa, que posteriormente seria denominada *Compagnie Générale Aéropostale,* pretendia estabelecer um serviço aéreo na América do Sul. Diversos atrasos, que incluíram prolongadas negociações, só permitiram que os franceses iniciassem seus serviços em novembro de 1927.

De fato, a América do Sul se apresentava como um campo fértil para o estabelecimento de uma ou mais companhias de transporte aéreo, e não foram poucos os pretendentes estrangeiros, além dos franceses, que tentaram colocar em funcionamento um serviço de transporte aéreo. Em maio de 1924, a Deutscher Aero Lloyd A.G., Schlubach Theimer e Peter Paul von Bauer organizaram a Condor Syndikat, uma companhia que tinha como finalidade a venda no exterior de aeronaves comerciais de fabricação alemã. Após prolongados estudos, optou-se por iniciar as atividades da nova empresa no país que o austríaco Peter Paul von Bauer já conhecia, a Colômbia. Inicialmente, a Condor Syndikat pretendia estabelecer uma rede de linhas que ligassem os Estados Unidos ao Caribe e montar um serviço de transporte aéreo entre a Europa e a América do Sul. Levando dois hidroaviões Dornier Do J Wal fabricados na cidade de Pisa, na Itália, e mesmo sob a firme tutela do diretor-geral da Condor-Syndikat, Fritz Hammer, diversas dificuldades de ordem política impediram a empresa alemã de alcançar todos os seus objetivos.

Paralelamente a esses eventos, Otto-Ernst Meyer Labastille, um ex-oficial do Serviço Aeronáutico alemão, desembarcou no porto de Recife em 1921. Mesmo havendo sido contratado pela empresa têxtil Irmãos Lundgren (Casas Pernambucanas), esse esguio emigrante alemão de pequena estatura buscou, no mesmo ano de sua chegada em Recife, o amparo necessário para formar uma companhia de transporte aéreo. Contudo, a idéia de Otto-Ernst Meyer não encontrou a ressonância necessária entre os empresários pernambucanos. Mudando-se em 1924 para o Rio de Janeiro, Otto-Ernst Meyer novamente se lançou à concretização de seu sonho, dessa vez em associação com outros dois ex-oficiais do Serviço Aeronáutico alemão. Apesar de seus esforços e do apoio potencialmente maior que aquele disponível em Recife, a segunda tentativa de Otto-Ernst Meyer não vingou. Sem se deixar abater, ele se mudou novamente, dessa vez para Porto Alegre, em 1925. Singularmente obstinado, travou contato com empresários e políticos de destaque na sociedade gaúcha da época, e conseguiu reunir o apoio necessário para dar os primeiros passos que visavam à formação de uma empresa de transporte aéreo.

Com a conclusão das gestões iniciais, Otto-Ernst Meyer pôde concentrar-se na aquisição de material aeronáutico e no pessoal necessário para operá-lo e mantê-lo. Partindo para a Alemanha em novembro de 1926, Meyer visitou os escritórios da Condor Syndikat em Hamburgo, e as negociações culminaram em um acordo pelo qual 21% das ações da nova empresa de transporte aéreo passavam a pertencer à Condor Syndikat. Em troca, essa companhia alemã cedia um dos seus Dornier Do J Wal à empresa de Otto-Ernst Meyer, fornecendo ainda o pessoal imprescindível à operação da aeronave. Embarcado no Porto de Hamburgo, o Dornier Do J Wal *Atlântico* chegou em Buenos Aires no dia 17 de novembro de 1926 para, dois dias depois, ser trasladado por Fritz Hammer e dois outros tripulantes até o Rio Grande. Para regularizar a situação da aeronave e emitir os certificados necessários, o *Atlântico* viajou até o Rio de Janeiro na semana seguinte, aproveitando a ocasião para demonstrar para as autoridades e público em geral as qualidades do robusto hidroavião. Realizando um vôo de demonstração no trecho Rio—Florianópolis e sob o comando de Rudolf Cramer von Clausbruch, o *Atlântico* transportou o então Ministro dos Transportes e diversos jornalistas. Fritz Hammer acompanhou o vôo a fim de mostrar as diversas características do Dornier Wal para os convidados.

O ministro dos Transportes ficou devidamente impressionado com Fritz Hammer, pois em 26 de janeiro de 1927 outorgou à Condor-Syndikat autorização para operar um serviço de transporte aéreo dentro do território nacional por um prazo não-superior a 12 meses, limitação devida ao fato de a Condor Syndikat não ser uma companhia brasileira. Na última semana de janeiro, o *Atlântico* regressou a Porto Alegre para efetuar um evento que entraria nos anais da história da Aviação Comercial sul-americana. Levando a bordo a Srta. Maria Echenique, João Fernandes Moreira, Guilherme Gastal e João Oliveira Goulart — os dois últimos os primeiros passageiros regulares da história da Aviação Comercial brasileira por terem pago suas passagens, o *Atlântico* decolou das águas do rio Guaíba às 8:30 da manhã de 3 de fevereiro de 1927. Voando com destino ao Rio Grande e levando 12 malas postais, esse vôo entrou para a história,

*Apesar de muitos trabalhos poderem ser feitos ao ar livre, mesmo com os inconvenientes de chuva, frio e sol, era imprescindível a construção de um hangar para a realização dos serviços de precisão em motores e instrumentos de vôo. Assim, foi construído na Várzea do Gravataí um rudimentar hangar que mal acondicionava um Junkers A 50 Junior ou um dos pequenos Klemm L.25 de instrução.*

pois registrava a abertura do que posteriormente passou a ser conhecido como a Linha da Lagoa e o início da aviação comercial brasileira. Com o nome provisório de Companhia Rio Grandense de Transportes Aéreos, o nascimento da primeira empresa brasileira de transporte aéreo estava às vésperas de ocorrer. No dia 1.º de abril de 1927, foi convocada a primeira assembléia preparatória, e no dia 7 de maio foi realizada a assembléia geral da constituição definitiva da nova empresa — fundada com o nome Sociedade Anônima Empresa de Viação Aérea Rio Grandense. Contando com 550 acionistas residentes em Porto Alegre e outras cidades do estado, o sonho de Otto-Ernst Meyer tornava-se realidade.

Em cumprimento aos acordos acertados entre a Condor Syndikat e a VARIG, no dia 15 de junho de 1927 tanto a Linha da Lagoa como o *Atlântico* foram transferidos para a VARIG. Naquele mesmo dia, um decreto presidencial autorizava a VARIG a operar em todo o estado do Rio Grande do Sul, litoral catarinense e, mediante aprovação do governo uruguaio, até a cidade de Montevidéu. Exatamente uma semana depois, a VARIG deu início aos vôos regulares na Linha da Lagoa. Com uma velocidade de cruzeiro de quase 160 km/h, a primeira perna da viagem até Pelotas era feita em duas horas, e o *Atlântico* rea‒

*Vista aérea do terminal de passageiros e oficinas da VARIG em Porto Alegre no final da década de 30, com o Junkers Ju-52/3mge da empresa, à esquerda, e um dos Junkers F.13 à direita.*

lizava o percurso a uma altitude que variava entre 20 e 50 metros. A etapa seguinte até Rio Grande tardava outros vinte minutos de vôo, e o hidroavião amerisava nas águas do Saco da Mangueira.

A repercussão das primeiras semanas de atividade do *Atlântico* foi enorme. A VARIG transportou até o final daquele primeiro ano, e com a ajuda de um Dornier Merkur recebido em outubro, um total de 668 passageiros — um pouco mais do que o número de passageiros de cinco vôos de Boeing 737-300 na Ponte Aérea Rio—São Paulo. No entanto, os primeiros anos de existência da VARIG não estavam livres de percalços. A própria fragilidade dos dois hidroaviões muitas vezes fazia com que um ou outro fosse retirado de serviço para reparos. O próprio cenário político da época muitas vezes apresentava obstáculos quase insuperáveis, e a devolução do *Atlântico* e do Dornier Merkur à Condor Syndikat no inverno de 1930 não facilitou a situação. Durante algum tempo, a VARIG teve que operar exclusivamente com dois monoplanos Klemm L.25 que adquirira em novembro de 1929, reduzidos a um quando o outro foi considerado perda total após um acidente em setembro de 1930. O ano seguinte seria ainda pior: a VARIG executava seus serviços com um Dornier Merkur arrendado da Condor Syndikat e um Junkers A 50 Junior. Entretanto, após sofrer considerável reorganização, a VARIG conseguiu erguer a cabeça com a chegada de dois Junkers F.13 em março de 1932 e a incorporação de outros dois Junkers A 50 Junior.

Com recursos financeiros extremamente limitados, uma demanda de tráfego bastante modesta como conseqüência dos eventos políticos e econômicos que marcaram profundamente o Brasil na primeira metade da década de 30, e utilizando aeronaves que mal apresentavam alguma margem de lucro com sua operação, a VARIG se manteve confinada aos limites do seu estado natal. Para consumir ainda mais seus parcos recursos, era necessário montar em muitas localidades as instalações imprescindíveis para a operação contínua de aeronaves. Assim, a VARIG se limitou a operar desde Porto Alegre até as cidades de Pelotas, Cruz Alta, Santana do Livramento, Bagé, Palmeira, Santa Cruz e Santa Maria, operando ainda linhas sazonais até as cidades litorâneas de Torres e Tramandaí.

No entanto, obstinado como era, Otto-Ernst Meyer continuou lutando pela sobrevivência da VARIG, habilmente auxiliado por um jovem que ele contratara logo que a companhia foi fundada, Ruben Martin Berta. A verdade era que cada piloto, mecânico e funcionário se desdobrava em muitos para garantir a existência da VARIG, e não eram incomuns as ocasiões em que o próprio pessoal da administração ajudava em trabalhos como embarcar malas ou fornecer mais um par

*Entre outras providências completadas logo após a sua fundação, a administração da VARIG deveria buscar um local adequado para instalar-se. Após utilizar durante um breve período a sala de reuniões da Casa Bromberg, a sede administrativa e comercial da VARIG passou a ser dentro de uma minuscúla loja na atual Rua General Camara, onde também era feita a venda e emissão de passagens.*

de braços dentro da oficina para trabalhos que exigiam força. Os resultados financeiros de 1935 e 1936 foram suficientemente positivos para permitir a aquisição de um Messerschmitt Me-108B Taifun naquele último ano, e um Messerschmitt M.20b no início de 1937. Com capacidade de transportar três passageiros, o Me-108B não durou muito tempo, acidentando-se logo após sua chegada ao Brasil. O M.20b porém permitia o transporte de dez passageiros, tornando-se assim o maior avião da empresa e propiciando o prolongamento de uma das linhas até Uruguaiana.

Demonstrando ser um homem à frente do seu tempo, Otto-Ernst Meyer organizou um serviço que prenunciou outro similar implantado na Europa algumas décadas mais tarde. Vendo-se na obrigação de suspender, durante 1938, a linha Porto Alegre/Rio Grande devido às baixas taxas de ocupação que os últimos dois anos haviam apresentado, a VARIG foi abordada pelo então Departamento de Aeronáutica Civil a fim de ser encontrada uma solução que não deixasse o Rio Grande completamente sem comunicação aérea com Porto Alegre e o restante do país. Após alguns estudos, a VARIG entrou em entendimentos com a Viação Férrea do Rio Grande do Sul com o intuito de conjugar horários, estabelecendo como resultado o primeiro tráfego mútuo avião/trem no país e um dos primeiros do mundo a implantar um sistema desse gênero. Adquirindo a passagem necessária, o passageiro com-

*Os aviões de transporte dos anos 20 ofereciam poucos luxos, entre os quais assentos em vime ou em couro. Antes de embarcar no "Atlântico", cada passageiro era pesado e recebia um chumaço de algodão para proteger os ouvidos contra o ensurdecedor ruído de seus dois motores. Essa foto mostra o interior de um Dornier Wal com a disposição interna muito similar a do Atlântico.*

pletava o trecho Porto Alegre/Pelotas em um avião da VARIG e desembarcava em Pelotas, onde estava à sua disposição um automóvel que o levava então até o centro da cidade. Ali, o passageiro embarcava em um trem que o transportava até o centro da cidade de Rio Grande — isso em um tempo total que era praticamente igual ao despendido no trecho aéreo Pelotas/Rio Grande, que exigia traslado em uma embarcação desde o Centro de Aviação Naval em Rio Grande até o cais do porto daquela cidade e o posterior transporte do passageiro em ônibus até o centro de Rio Grande. Esse sistema gozou de enorme sucesso e incentivou a VARIG a implantar outro similar, porém dessa vez levando o passageiro até Montevidéu ou Buenos Aires. Acertando os horários com a empresa Ferrocarril Central del Uruguay, a VARIG vendia ao passageiro uma passagem completa até Buenos Aires, e o usuário realizava o trecho até Jaguarão em avião da VARIG. Nessa cidade fronteiriça com o Uruguai, ele era transportado de automóvel até Rio Branco, embarcando então em um trem que o levava até Montevidéu. Ali, ele apanhava um avião da Companhia Aeronautica Uruguaya S.A. com destino a Buenos Aires. Consumindo 11 horas para completar a viagem até Buenos Aires, tempo sensivelmente menor que as outras alternativas, a passagem Porto Alegre/Buenos Aires nesse sistema de tráfego mútuo era quase metade do va-

*Periodicamente, os hidroaviões tinham que ser parcialmente desmontados e virados de dorso para que lhes fosse feita a raspagem do casco - uma tarefa ingrata que exigia o pesado trabalho braçal de vários homens. Aqui a equipe de trabalho reune-se para a fotografia logo após um desses serviços no "Atlântico".*

lor de uma passagem em qualquer outra forma alternativa.

Os últimos anos da década de 30 foram gentis com a VARIG, ao menos em comparação com o período difícil vivido na primeira metade daquela década. Em maio de 1938, ela adquiriu da South African Airways um trimotor alemão Junkers Ju-52/3mge capaz de transportar até 17 passageiros. Entretanto, um período de dificuldades começou a despontar no horizonte quando estourou a Segunda Guerra Mundial na Europa. Contando unicamente com aviões de origem alemã, a VARIG começou lentamente a sentir as dificuldades em importar material de reposição para suas aeronaves. Na virada da década e com a interceptação de navios mercantes de bandeira alemã por vasos de guerra britânicos, trazer o material necessário para garantir a disponibilidade de seus aviões transformou-se em uma tarefa quase impossível. Alguns furadores de bloqueio lograram entrar no porto de Santos com material para os aviões alemães da Sindicato Condor e da VASP, mas a um custo altíssimo. Adquirir esse material não foi possível, mesmo pagando uma considerável percentagem adicional, pois essas duas empresas não possuíam qualquer garantia de que mais material de reposição viria em um futuro próximo.

*Fotografado muito acima de sua habitual altura de cruzeiro na linha Porto Alegre/Rio Grande, o Dornier Do J Wal "Atlântico" sobrevoa Porto Alegre. Durante os primeiros meses de operação no litoral do Rio Grande do Sul o "Atlântico" realizou diversos vôos promocionais para benefício dos gaúchos. Cobrando modestas tarifas, o "Atlântico" trouxe para muitos o primeiro contato com o vôo. Ao oferecer um curto sobrevôo de Porto Alegre, a VARIG introduzia uma forma particularmente inteligente de desmistificar a aura de perigo que cercava a aviação da época.*

Assim, para amenizar as dificuldades que certamente viriam, a VARIG arrendou da Sindicato Condor dois aviões Focke-Wulf Fw-58C, que estavam sendo produzidos sob licença nas instalações da Aviação Naval na Ponta do Galeão. Paralelamente, iniciou-se a busca de novos aviões para complementar a frota da VARIG, necessariamente restrita ao território nacional. O início de 1942 não foi exatamente auspicioso para a VARIG em vista da perda de seu Junkers Ju-52/3mge logo após a decolagem do seu campo de pouso em Porto Alegre. Para repor parcialmente essa perda, ficou usando um trimotor italiano Fiat G.2 que pertencera originalmente ao Ministério da Aeronáutica italiano. Meses mais tarde, a VARIG conseguiu comprar da empresa paulista Companhia Juta Fabril um bimotor inglês de Havilland DH-89A Dragon Rapide. Essas aeronaves apresentavam uma série de particularidades de ordem operacional que não os tornavam aviões fáceis de pilotar. As dificuldades de ordem logística que isso acarretou podem ser aquilatadas pelo fato de que, em meados de 1942, a VARIG possuía uma frota de sete aviões procedentes de três países e produzidos por cinco fabricantes diferentes. Contudo, o Dragon Rapide seria a aeronave responsável por levar a expansão da rede de linhas da VARIG para além dos limites do estado do Rio Grande do Sul, inaugurando nada menos que uma linha internacional até Montevidéu. Com uma freqüência semanal inicial de duas viagens, essa linha foi aberta no dia 5 de agosto de 1942.

Os ventos da guerra seriam responsáveis por muito mais do que provocar a aquisição de aeronaves. Em vista de sua origem alemã, pressentindo as dificuldades que seguramente iriam brotar como resultado da guerra na Europa, Otto-Ernst Meyer apresentou sua renúncia ao cargo de Diretor-Gerente em dezembro de 1942. A fim de atender interesses políticos do acionista majoritário, o Governo do estado do Rio Grande do Sul, foi indicado Érico de Assis Brasil para assumir o posto de Otto-Ernst Meyer. No entanto, sua morte duas semanas após sua nomeação impediu que, Érico de Assis Brasil fizesse alguma coisa pela VARIG. Imediatamente, nova reunião

*Adquirido nos últimos dias de 1930, este Junkers A 50 Junior foi o primeiro de três desses aviões operados pela VARIG. Projetado como aeronave de instrução, o Junkers Junior demonstrou ser um avião que tolerava poucos erros. No entanto, a VARIG utilizou-os para o transporte de malas postais. O "P-BAAE" inaugurou a linha Porto Alegre/Santa Cruz/Santa Maria.*

foi convocada pelos acionistas, e o braço direito de Otto-Ernst Meyer, Ruben Martin Berta, foi nomeado o novo Diretor-Gerente da VARIG. Caberia a Ruben Berta guiar a VARIG através dos difíceis obstáculos que já se apresentavam, tarefa de que ele se desincumbiu com enorme habilidade.

Uma das primeiras providências seria padronizar a frota com um único tipo de avião, sanando assim os problemas de ordem logística, cada vez mais difíceis de superar. Como ocorrera no passado e voltaria a ocorrer no futuro, as circunstâncias trabalharam em favor da VARIG nesse momento. A Panair do Brasil começara a receber os primeiros aviões bimotores Lockheed 18-10 Lodestar em abril de 1941, que deveriam substituir os Lockheed L.10C/E Electra então em operação com aquela empresa. O processo de substituição dos dois Electra tardou mais do que o esperado, mas em abril de 1943 esses aviões foram negociados por US$ 120.000 cada com a Defence Supplies Corp., que por sua vez os vendeu pelo mesmo valor para a VARIG. Com uma configuração interna para o transporte de dez

*Recebido da empresa alemã Condor Syndikat, o Dornier Merkur foi o segundo hidroavião da VARIG. Mal chegou e foi imediatamente colocado na linha Porto Alegre/Pelotas/Rio Grande, alternando com o "Atlântico" nesse percurso que era popularmente conhecido como a Linha da Lagoa. Batizado de "Gaúcho", esse hidroavião chegou a voar regularmente entre Porto Alegre e o balneario de Torres. Como o "Atlântico", essa aeronave foi transferida para o Sindicato Condor no verão de 1930, mas foi arrendado pela VARIG durante um breve período no primeiro trimestre do ano seguinte*

passageiros cada, os dois Lockheed Electra e os outros seis que viriam diretamente dos Estados Unidos nos dois anos seguintes possibilitaram a progressiva expansão da rede de linhas aéreas da empresa para as principais cidades da Região Sul do Brasil.

O fim da guerra trouxe diversas mudanças à VARIG, muitas de grande repercussão e profundidade. Para levar adiante o plano de consolidação das linhas existentes, a expansão da rede como um todo e ainda equipar a frota da empresa com aeronaves que seriam o que de mais moderno existia no Brasil em termos de aviões de transporte aéreo, a VARIG deu início a negociações com o governo norte-americano visando à aquisição de um lote de quatro aviões Douglas C-47B que se encontravam em Natal. Adquiridos por valores que variaram entre US$ 30 e 35 mil, o primeiro desses aviões chegou a Porto Alegre na segunda semana de dezembro de 1945. No entanto, aquele mês registraria um evento muito mais importante para a empresa do que a compra desses aviões.

*Em março de 1932, foram desembarcados no Porto de Rio Grande, um avião Junkers A 50 Junior e dois Junkers F.13ke. Esses últimos, batizados de "Livramento" e "Santa Cruz", praticamente dominaram a rede de linhas da VARIG nos cinco anos seguintes. O "Santa Cruz" continuou transportando passageiros até 1948 sem sofrer qualquer acidente de maior gravidade. Aqui ele aparece ao lado do terminal de passageiros de Santana do Livramento no final da década de 30*

*Considerado um avião extremamente avançado para a época em que foi lançado no mercado uma vez que possuía uma fuselagem feita de chapas onduladas de duralumínio enquanto a maioria das aeronaves ainda eram de madeira e tela, os Junkers F.13ke marcaram profundamente a VARIG. Entretanto, era uma aeronave que possuía suas idiossincrasias. Durante os rigorosos invernos gaúchos, não eram raras as ocasiões nas quais a água do radiador do motor congelasse, a solução consistindo em esquentar muitos baldes de água que eram despejados sobre o motor. Sem dispor de recursos para o auxílio à navegação, com exceção de uma bússola que ocasionalmente teimava em girar erraticamente quando se sobrevoava alguma grande concentração de minério de ferro, o F.13 ganhou o respeito e a admiração de todos os seus pilotos.*

*Recebido na primeira metade de 1937, o Messerschmitt M.20b foi uma grande aquisição para a companhia, que o pôs em serviço nas suas linhas em abril daquele mesmo ano batizado de "Aceguá". Capaz de transportar até 10 passageiros, o "Aceguá" passou a ser conhecido pelos passageiros mais assíduos como "Pepe Vaca" devido ao prefixo PP-VAK. Imensamente popular entre os usuários por possuir um toalete - algo até então inexistente nos aviões da VARIG - e uma configuração de asa alta que oferecia aos passageiros uma visão panoramica do cenário que desfilava abaixo do avião, o "Aceguá" voou com grande sucesso até 1944.*

Desde que assumira a função de Diretor-Gerente da VARIG, Ruben Berta desenvolvia uma idéia arrojada que beneficiaria toda a empresa, ao mesmo tempo em que a protegia das intempéries políticas que se desenhavam no horizonte. Norteado pelos preceitos contidos na encíclica Rerum Novarum do Papa Leão XIII, na Quadragesimo Anno do Papa Pio XI e em *O Contrato Social,* de Jean-Jacques Rousseau, Berta apresentou sua idéia de criar uma fundação de funcionários da VARIG, a qual passaria a deter o controle acionário da empresa. Audaz para a época, visto que casos similares no Brasil e no exterior quase inexistiam, esse projeto foi alvo de diversas providências antes de ser concretizado. Finalmente, aprovado em assembléia geral ordinária realizada em outubro de 1945, o projeto se transformou em realidade quando foi lavrada a escritura pública da Fundação dos Funcionários da VARIG, em 7 de dezembro de 1945.

Concluída essa empreitada, os últimos anos da década de 40 assistiram à VARIG entrar em um processo de expansão, tanto de sua rede de linhas, que agora chegavam ao Rio de Janeiro e São Paulo, como da frota de aeronaves. O final da década testemunhou a desativação dos dois

*Com as dificuldades em adquirir material sobressalente para as aeronaves de origem alemã de sua frota, e ainda impossibilitada de importar outros aviões daquele país, a VARIG buscou no mercado local as soluções para suas necessidades. De origem inglesa, o de Havilland DH-89A Dragon Rapide foi adquirido em São Paulo e imediatamente colocado em serviço, inaugurando a primeira linha internacional da VARIG para Montevidéu.*

Junkers F.13 que carregaram nas costas praticamente sozinhos as diversas linhas da VARIG durante a década anterior. Paralelamente, os primeiros Curtiss C-46A/D entraram em serviço em algumas linhas da empresa. Esse avião se adaptou perfeitamente às tarefas de transporte de carga, uma carência que vinha sendo sentida já há algum tempo – além de transportar passageiros com uma configuração interna de luxo. Os primeiros dois anos da década de 50 testemunharam a VARIG difundir suas linhas para o interior dos estados de Santa Catarina e Paraná. O período compreendido entre 1945 e 1952 foi caracterizado por uma enorme proliferação de empresas de transporte aéreo que mal possuíam os meios de assegurar um serviço regular nas linhas que elas criaram. A conseqüência foi a posterior fusão de algumas, e o desaparecimento ou compra de outras. Enquanto essas muitas companhias se digladiavam para sobreviver, a VARIG tomou a prudente atitude de consolidar o que já possuía e expandir-se de forma conservadora, guardando as forças para o momento certo. A ocasião perfeita não tardou a se apresentar, e em maio de 1952 a VARIG adquiriu a Aero Geral. Com sede em Santos e enfrentando sérias

*Outro avião comprado em 1942 para solucionar as dificuldades da companhia, o Fiat G.2 foi batizado como "Jacuí". Fabricado em 1932 e usado pela Avio Linee Italiane antes de ser adquirido pela VARIG, o Fiat G.2 não gozava de boa reputação entre os pilotos daquela empresa em vista de suas características de vôo. No entanto, o "Jacuí" preencheu perfeitamente o seu papel, voando regularmente e sem incidentes nas muitas linhas da VARIG, além de auxiliar a Força Aérea Brasileira em missões de patrulha durante a Segunda Guerra Mundial.*

*Batizado de "Mauá", o Junkers Ju-52/3mge da VARIG foi também o maior avião da empresa até a chegada do Douglas C-47B. Com capacidade de transportar 17 passageiros, o "Mauá" só voava quando mais da metade de seus assentos haviam sido vendidos, e sempre com os pilotos mais experientes da companhia - possivelmente iniciando na VARIG o conceito de especialização de tripulação versus equipamento.*

*Conferindo à VARIG o seu primeiro gosto de modernidade, desde a época do "Atlântico", o Lockheed L.10A/C/E adquirido entre 1943 e 1945 ampliou os horizontes operacionais da companhia. Transportando 10 passageiros, ou nove quando havia um radio-operador, o L.10A/C/E marcou o inicio de uma era de profissionalização dos tripulantes técnicos e mecânicos. Conhecido como electrinha, esse avião proporcionou as condições necessárias para o aumento das freqüências nas linhas existentes e a abertura de novas linhas no Rio Grande do Sul.*

dificuldades financeiras, as linhas da Aero Geral se estendiam por todo o litoral brasileiro até Natal. Em termos de acervo material, a compra trouxe poucos benefícios. Mas essa aquisição proporcionou à VARIG uma porta para a Região Nordeste, aumentando consideravelmente sua influência e estatura como empresa de transporte aéreo.

A compra da Aero Geral foi meramente um prenúncio de eventos ainda mais importantes que ocorreriam nos 13 anos seguintes. Novamente, as circunstâncias operaram a favor da VARIG. Com a desistência da Cruzeiro do Sul em estabelecer uma linha ligando o Rio de Janeiro a Nova York, a VARIG se viu na invejável posição de ser indicada pelo governo brasileiro para a formação e execução daquela linha. Sem perder tempo, iniciaram-se negociações para a aquisição de três quadrimotores Lockheed L.1049G Super Constellation avaliados em US$ 8 milhões. Tratava-se de um moderníssimo avião de transporte de passageiros que acabara de entrar em serviço com outras companhias de transporte

*Uma das aeronaves clássicas da aviação comercial mundial, o Douglas C-47B permitiu à VARIG levar a extensão de sua rede de linhas até o Rio de Janeiro, um passo imprescindível caso a companhia quisesse abandonar o cenário de transporte aéreo regional passando a ser uma companhia de envergadura de âmbito nacional. Conhecidos pelos passageiros como DC-3, os Douglas C-47B apresentavam uma configuração interna inicial de 21 assentos - disposição de luxo mantida na linha Porto Alegre/Rio, mesmo após a introdução nesses aviões da configuração mista para 28 passageiros.*

*Mesmo com a progressiva expansão de sua rede de linhas para outras regiões do Brasil e para além dos limites do continente, a VARIG continuou executando suas linhas no Rio Grande do Sul. Ligando a capital com cidades como Bagé, Itaqui, Cruz Alta e Santa Maria, a VARIG e seus Douglas C-47A/B continuaram realizando o importante trabalho de encurtar as distâncias para o povo gaúcho. Interior de uma aeronave Douglas DC-3/C-47.*

aéreo no exterior. Apesar de poder transportar até 99 passageiros, a VARIG optou por configurar esses aviões para 66 passageiros, conferindo-lhes instalações extremamente luxuosas e confortáveis sem par na aviação comercial brasileira e que pouquíssimas companhias estrangeiras conseguiam igualar. Assinado o contrato de compra, a VARIG deu início a diversas providências a fim de implantar toda a infra-estrutura necessária para a execução da linha Rio/Nova York. Apesar de serem poucas aeronaves, posteriormente acrescidas de outras três, o Super Constellation representou um divisor de águas para a VARIG. Em função do Super Constellation, áreas como tráfego, serviço de bordo, vendas e manutenção sofreram profundas reformulações, levando, literalmente, a VARIG ao primeiro mundo em termos de transporte aéreo comercial. Efetuadas todas as providências identificadas pela administração da VARIG, o primeiro Constellation chegou a Porto Alegre em maio de 1955, e, após um período de intenso treinamento e acerto de arestas, realizou-se um vôo de experiência até Nova York em julho do mesmo ano. Executado satisfatoriamente, o primeiro vôo regular até Nova

*No fim de sua carreira, quando encontravam-se configurados internamente com 32 assentos, alguns poucos C-47B continuaram voando até 1969. Nessa época, voavam para localidades remotas que mal dispunham de campo de pouso ou qualquer auxílio à navegação aérea. Para os pilotos daquela época, voar nos C-47A/B da VARIG representava uma oportunidade impar de travar contato com um Brasil que poucos conheciam.*

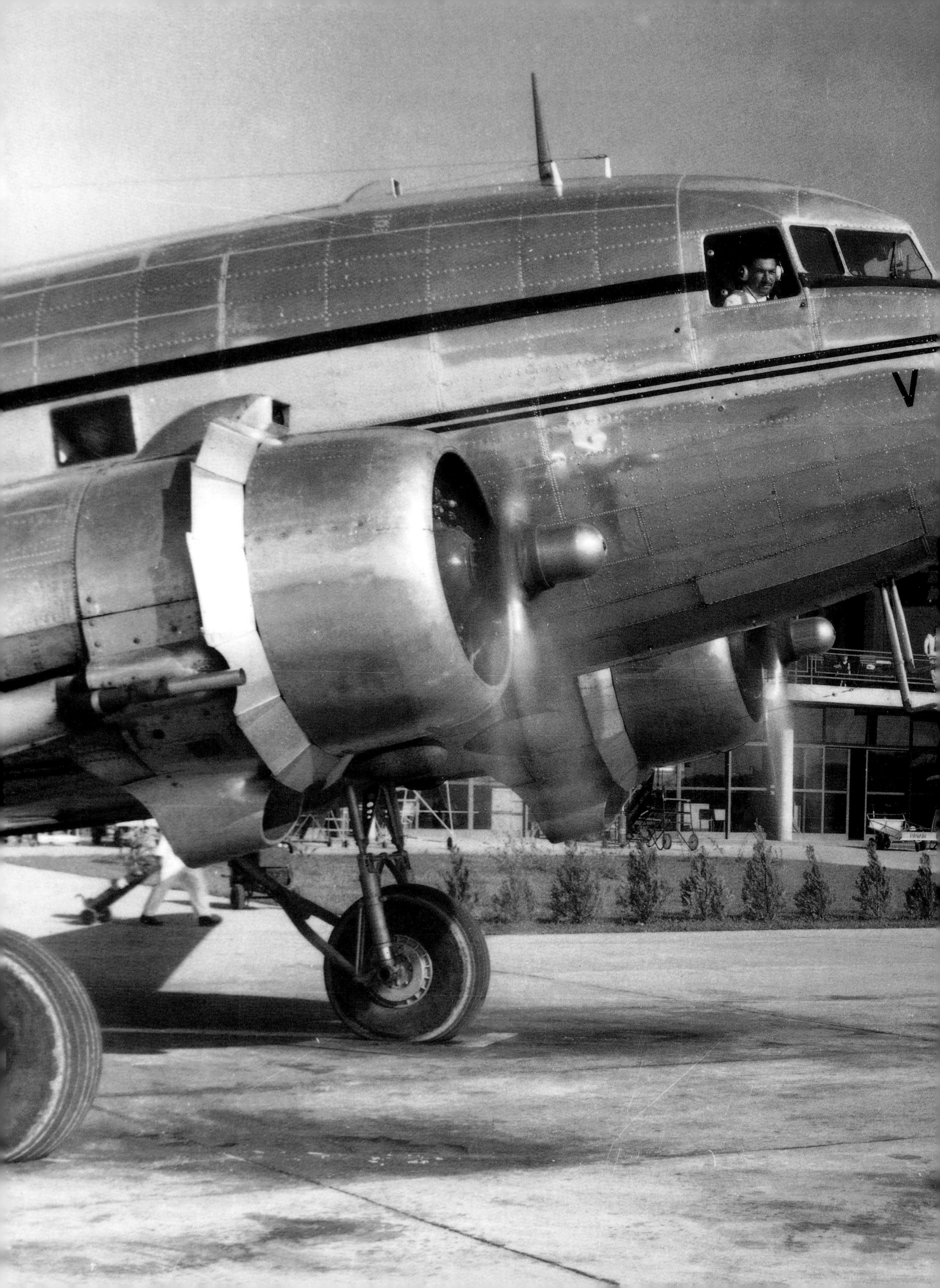
V

*Muitos dos C-47A/B adquiridos pela VARIG entre 1946 e 1961 já possuíam uma história própria antes mesmo de chegarem ao Brasil. Muitas dessas aeronaves que acabaram transportando passageiros para os mais longínquos rincões do país, participaram ativamente de operações aerotransportadas na Inglaterra, Itália, Austrália e Alasca durante a Segunda Guerra Mundial. Trocando a farda por trajes civis, esses Douglas C-47A/B passaram a transportar passageiros e carga de todas as classes no lugar de pára-quedistas e armas.*

*Possuindo um passado tão cheio de histórias como o Douglas C-47A/B, muitos dos Curtiss C-46A da VARIG passaram a cruzar céus brasileiros equipados com motores à jato Turbomeca Pallas - tecnicamente o primeiro avião brasileiro dotado de motores à reação. Apesar de seu uso restringir-se somente à decolagem ou à uma pane em um dos motores, o folclore afirma que esses aviões receberam o Pallas em resposta a uma determinação do departamento de aviação civil de um país vizinho, que só permitia a operação de aeronaves sobre seu território se fossem quadrimotores.*

*Consideravelmente maiores do que o Douglas C-47B, os Curtiss C-46A da VARIG podiam transportar 48 passageiros e uma considerável quantidade de carga. Espaçoso e mais veloz do que o C-47B, os Curtiss C-46A foram adquiridos quase dois anos após a incorporação dos primeiros Douglas C-47A/B. Em vista de sua invejável capacidade interior, muitos C-46A passaram boa parte de sua vida útil na VARIG realizando vôos de carga, alguns dos quais passaram a ser popularmente conhecidos como "Corujões". Esses últimos eram vôos noturnos inaugurados em outubro de 1954 e que executavam um serviço aeropostal em todo o sul e pelo litoral do País.*

York ocorreu, com grande pompa e circunstância, no dia 2 de agosto, estabelecendo imediatamente um alto padrão de conforto, pontualidade e segurança entre todas as linhas que ligavam a América do Sul ao continente norte-americano. O empenho da VARIG em abrir essa linha rendeu muitos dividendos, e a empresa agora competia folgadamente com o gigante norte-americano Pan American Airways, livrando-se de vez de qualquer ranço de empresa de transporte aéreo regional que porventura ainda a acompanhasse durante esse importante período de transição. Igualmente importante era o fato de que muitas das providências tomadas com vistas à linha Rio/Nova York, paulatinamente foram se disseminando para as outras linhas.

As linhas domésticas não foram esquecidas nesse período, e a VARIG se empenhou em modernizar o equipamento empregado nas princi-

*A VARIG foi uma das primeiras empresas brasileiras de transporte aéreo a introduzir tarifas acessíveis ao público de menor poder aquisitivo. Para tal, aviões como o Douglas C-47A/B e o Curtiss C-46A tinham seu interior completamente remodelado de modo a transportar passageiros e carga. Assim, muitos brasileiros de norte a sul do país fizeram suas primeiras viagens aéreas em aviões como o C-46A.*

*Extremamente robustos, alguns Curtiss C-46A da VARIG foram modificados para a versão Super 46C, com motores ligeiramente mais possantes e eficientes que os originais. Ocasionalmente configurados para o transporte de até 58 passageiros, alguns desses Super 46C foram modificados recebendo bandejas especiais para o transporte de carne bovina, que voava desde os matadouros do Pará e do Mato Grosso até a cidade de Belém.*

pais linhas domésticas. Para atender essa necessidade, ela concretizou a compra de um lote de cinco aviões Convair 240, um bimotor pressurizado para 40 passageiros. Originalmente pertencente à Pan American Airways, o primeiro avião desse lote chegou a Porto Alegre em novembro de 1954; um segundo lote de oito Convair 240 foi adquirido da mesma fonte e da Northeast Airlines em 1957 e 1959, respectivamente. Relegando aos poucos os Douglas C-47A/B exclusivamente para as linhas regionais, a VARIG introduzira o Super Constellation em sua linha Rio/Nova York já sabendo que a era do jato se avizinhava rapidamente. Em vista disso, ela se preparou para receber esse novo tipo de aviação, que seguramente não tardaria em chegar ao Brasil. Para atender as principais linhas domésticas de longa distância, a VARIG encomendou do fabricante francês Sud Aviation dois birreatores SE-210 Caravelle I, e para as linhas internacionais de longo percurso acertou com a Boeing, em setembro de 1957, a compra de três quadrirreatores Boeing 707-441. No entanto, devido a imprevistos quando da produção dos Boeing 707-441 destinados à VARIG, coube aos Caravelle I serem os primeiros aviões a jato de transporte aéreo comercial a operarem no Brasil. Chegan-

*Apesar da VARIG já estar voando aeronaves à reação há 14 anos, os Super 46C da companhia continuaram voando até o início da década de 70.*

*A ausência de radar e de tanques de combustível de ponta de asa caracterizaram a primeira etapa da carreira dos Lockheed L.1049G Super Constellation da VARIG, que chegaram ao Brasil reluzentes na nova pintura desenvolvida especificamente para essas aeronaves e que foi posteriormente aplicado em todos os aviões da frota.*

do em Porto Alegre em setembro de 1959, a VARIG não titubeou em colocar o seu primeiro Caravelle I na prestigiosa linha Rio/Nova York, embora a pouca autonomia de vôo dessa aeronave determinasse a realização do mesmo número

*Pousando no Aeroporto de Ciudad Trujillo, na República Dominicana, um Lockheed Super Constellation da VARIG cumpre sua última escala na linha Rio/Nova York antes de chegar ao seu destino. Primeiro quadrimotor da empresa, o Super Constellation concretizou o sonho da VARIG de voar para além do continente sul-americano.*

de escalas técnicas feitas com o Super Constellation. Introduzido nessa linha em 12 de dezembro de 1959, o Caravelle passou a realizar duas freqüências semanais para Nova York, alternando com as três viagens semanais dos Super Constellation na mesma rota.

No entanto, os dias do Caravelle I e Super Constellation na linha Rio/Nova York estavam contados. Em 22 de junho de 1960, o primeiro Boeing 707-441 destinado à VARIG chegou ao Aeroporto do Galeão, já trazendo de Nova York passageiros pagantes. Cinco dias depois, esse 707-441 iniciaria de forma regular sua rota Rio/Nova York — um serviço que esse tipo de avião realizaria ininterruptamente até o advento do McDonnell-Douglas DC-10, em 1974.

Enfrentando seríssimas dificuldades financeiras já há algum tempo, o Consórcio Real-Aerovias-Nacional entrou no ano de 1961 já em processo pré-falimentar devido a diversos fatores. O governo federal encorajou então a busca

*O primeiro Lockheed Super Constellation da VARIG, aqui já dotado de radar é preparado para mais um vôo Rio/Nova York. Com o pessoal de terra executando serviços como conectar o avião a uma fonte externa de energia e estocar as galleys do Super Constellation, um dos tripulantes técnicos inspeciona sobre a asa esquerda da aeronave, um dos bocais dos muitos tanques de combustível.*

de uma solução negociada entre a VARIG e o Consórcio Real-Aerovias-Nacional, dono de uma rede de linhas domésticas e internacionais substancialmente maior do que a da VARIG. Em 2 de maio de 1961, as negociações resultaram na venda de 50% das ações da companhia Aerovias Brasil, empresa do consórcio que detinha todas as linhas internacionais, Contudo, o profundo estado de penúria financeira do Consórcio Real-Aerovias-Nacional tornou a sua existência impossível. Sofrendo agora enorme pressão por parte do governo federal, a VARIG, em agosto de 1961, adquiriu 90% das ações daquela organização, assumindo as dívidas do Consórcio e enfrentando a espinhosa tarefa de absorver uma organização que possuía um quadro de funcionários 1,5 vez maior que o da VARIG. Assimilar adequadamente o resultado dessa operação foi um desafio para os talentos da administração da VARIG, mas, após um cuidadoso planejamento e muito trabalho, essa tarefa foi concluída com sucesso.

*Aeroporto do Galeão. Fim dos anos 60. Um Douglas DC-6B estaciona no pátio e corta os motores, o pessoal de terra já se aproximando para colocar a escada na cauda da aeronave.*

Mal conseguira digerir uma companhia substancialmente maior, a VARIG viu-se de novo na contigência de absorver parcialmente as linhas de uma outra empresa de grande porte, a Panair do Brasil. Apesar do período relativamente tranqüilo na virada da década de 60, a Panair mar-

*Decolando do Aeroporto Santos-Dumont, um Douglas DC-6B inicia um vôo de uma das muitas linhas domésticas da VARIG. Adquiridos como parte da compra do Consórcio Real-Aerovias-Nacional, esses quadrimotores foram utilizados somente nas linhas domésticas de médio e longo alcance.*

*De formas elegantes, o Caravelle I não foi somente o primeiro jato a entrar em serviço com a VARIG, mas o primeiro jato comercial a operar no Brasil. Logo após a chegada da primeira dessas aeronaves, em setembro de 1959, a VARIG realizou uma breve* tournée *de demonstração pelas diversas capitais brasileiras.*

chou inexoravelmente para a insolvência financeira com o acúmulo de dívidas que por fim determinaram a decretação de sua falência em 16 de fevereiro de 1965. No entanto, meses mais tarde, sua rede de linhas foi transferida para a Cruzeiro do Sul, VASP e para a VARIG, cabendo às primeiras duas rotas domésticas e internacionais ao sul do Brasil, e à terceira as linhas restantes, incluindo as prestigiosas linhas européias.

Assim, no final de 1965, a VARIG possuía rotas para o litoral oriental e ocidental dos Estados Unidos, linhas para nove destinos na Europa, a concessão de uma linha para o Japão e uma malha de rotas domésticas que cobriam todas as regiões do país. Multiplicando várias vezes a quilometragem de suas linhas no espaço de meia década, a frota de aviões sofreu um aumento de igual proporção. A maioria dessas aeronaves foi herdada juntamente com a compra do Consórcio Real-Aerovias-Nacional; mais da metade foi vendida nos mercados local e estrangeiro para auxiliar a redução das dívidas que a VARIG assumira quando da compra do Consórcio. Os aviões que permaneceram eram do mesmo tipo que os já utilizados na VARIG, como o Lockheed L.1049H Super Constellation, Douglas C-47A/B e Curtiss C-46A. No entanto, foram também incorporados os Convair 990, Lockheed L.188A Electra II e Douglas DC-6B que haviam sido encomendados ou estavam já em uso com o Consórcio. Quadrirreatores, as mais velozes aeronaves de transporte de passageiros disponíveis no mercado, superados somente pelo BAC/Aerospatiale Concorde anos mais tarde, os Convair 990 juntaram-se aos Douglas DC-8-33 recebidos da Panair, e, com os Boeing 707-441, ficaram responsáveis pelas diversas linhas internacionais da VARIG. Apesar de serem bons aviões, os cinco Douglas DC-6B somente renderam serviços em algumas linhas domésticas, aguardando apenas a chegada dos novos jatos destinados à rede doméstica para serem desativados.

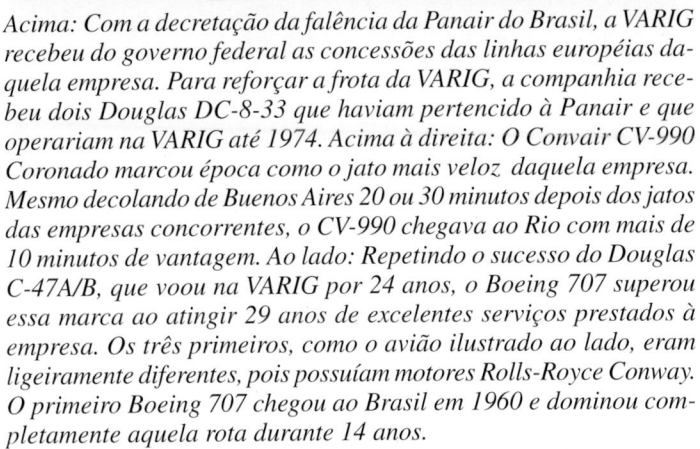

*Acima: Com a decretação da falência da Panair do Brasil, a VARIG recebeu do governo federal as concessões das linhas européias daquela empresa. Para reforçar a frota da VARIG, a companhia recebeu dois Douglas DC-8-33 que haviam pertencido à Panair e que operariam na VARIG até 1974. Acima à direita: O Convair CV-990 Coronado marcou época como o jato mais veloz daquela empresa. Mesmo decolando de Buenos Aires 20 ou 30 minutos depois dos jatos das empresas concorrentes, o CV-990 chegava ao Rio com mais de 10 minutos de vantagem. Ao lado: Repetindo o sucesso do Douglas C-47A/B, que voou na VARIG por 24 anos, o Boeing 707 superou essa marca ao atingir 29 anos de excelentes serviços prestados à empresa. Os três primeiros, como o avião ilustrado ao lado, eram ligeiramente diferentes, pois possuíam motores Rolls-Royce Conway. O primeiro Boeing 707 chegou ao Brasil em 1960 e dominou completamente aquela rota durante 14 anos.*

*Quando a VARIG efetuou a compra do consórcio Real-Aerovias-Nacional, recebeu com certa relutância três quadrimotores turboélice Lockheed L.188A Electra II. O lendário "Electra" da Ponte Aérea Rio/São Paulo testemunhou a passagem de diversas gerações de pilotos por sua cabine de comando. Muitos pilotos da VARIG optaram por operar aquela aeronave até se aposentarem, repetindo assim o que ocorrera com o pessoal dos Junkers F.13 quando chegaram os primeiros Lockheed L.10A/E Electra em 1943.*

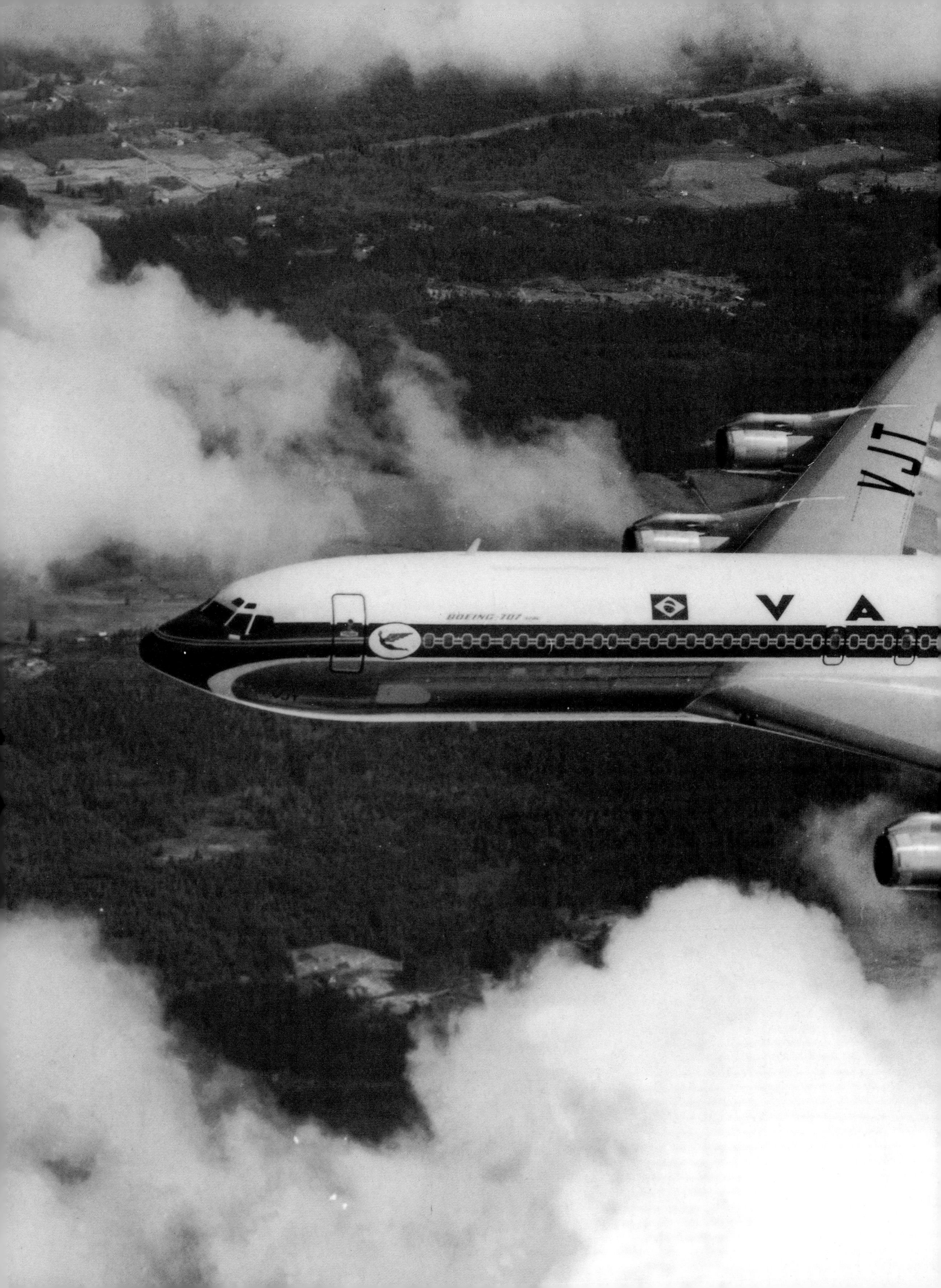
BOEING 707
V A
VJT

*O Boeing 707-320C dominou as linhas internacionais da VARIG nos anos 60/70. Podiam ser vistos quase que diariamente em cidades como Nova York, Paris, Roma, Madri, Tóquio e Johannesburg. Um total de 21 desses aviões foram utilizados pela VARIG, alguns chegando nos últimos anos de suas carreiras como cargueiros.*

*Dois Airbus Industries A300-B4 203 chegaram ao Brasil em 1981 e 1982. Após quase 20 anos, a VARIG voltou a adquirir aeronaves de origem européia. Voando principalmente nas linhas domésticas de longa distância, essas aeronaves operaram até 1989.*

Inicialmente visto com reservas, o Lockheed L.188A Electra II demonstrou-se um avião com muitos predicados que somente o tempo revelou.

Primeiro posto em serviço nas linhas domésticas e na Linha da Amizade, que ligava Portugal ao Brasil, o Electra encontrou seu verdadeiro nicho na Ponte Aérea Rio/São Paulo. Repetindo e excedendo a longevidade desfrutada na VARIG pelo Junkers F.13 e Douglas C-47, a imagem do Electra II está até hoje associada à da Ponte Aérea. Mas isso ainda estaria no futuro; naquele momento, a VARIG se empenhava em consolidar a abrupta expansão sofrida na primeira metade da década de 60.

Com um planejamento bem-traçado, a VARIG ingressou na segunda metade da década de 60 extremamente confiante no futuro. Para reforçar a frota de jatos quadrirreatores, contratos de compra de um número de aviões Boeing 707-320C foram assinados enquanto se buscava um turboélice bimotor capaz de substituir nas linhas regionais o já vetusto Douglas C-47A/B. A reabertura da linha Rio/Tóquio estava sendo aguardada com muita expectativa, e dependia somente da chegada de um outro lote de aviões

*A VARIG encomendou dez Boeing 727-100 entre 1970 e 1980. Esses aviões voaram durante longos anos nas linhas domésticas e sul-americanas da VARIG. Cinco dessas aeronaves ainda são operadas como cargueiros.*

*Substituindo o Boeing 707 na maioria das linhas internacionais, o McDonnell-Douglas DC-10-30 foi o primeiro wide-body da VARIG. Entrando diretamente para as linhas européias em junho de 1974, o DC-10-30 aumentou sensivelmente a capacidade da companhia.*

*Para complementar a frota de Boeing 727-100 e reforçar as linhas domésticas, a VARIG encomendou em 1974 uma pequena quantidade de aviões Boeing 737-200. No entanto, o enorme sucesso alcançado com aquelas aeronaves instigou a VARIG a eventualmente encomendar um total de 14 Boeing 737-200.*

Boeing 707-320C. O último mês de 1966 prometia ser auspicioso após a recente abertura da linha Rio/Zurique e a iminente chegada de dois Boeing 707-320C que permitiriam o aumento de freqüência em determinadas linhas internacionais. No entanto, no dia 12 de dezembro, morre em seu gabinete Ruben Martin Berta.

A perda do "Velho" Berta foi sem dúvida um baque. Mas a empresa prossegue em seu vôo cuidadosamente planejado. Novos aviões biturboélice são adquiridos para as linhas domésticas, a linha Rio/Tóquio é reaberta em 1968, uma rota até Copenhague é inaugurada, e antes do final da década mais aeronaves Boeing 707-320C são adquiridas. No primeiro ano da nova década, a VARIG acrescenta mais um continente aos quatro para os quais já voava, inaugurando sua linha Rio/Johannesburgo e encomendando um lote inicial de quatro Boeing 727-100 para suas linhas domésticas de longa distância e determinadas linhas internacionais.

Sob a liderança de Erik de Carvalho, a VARIG foi metodicamente expandindo sua rede, frota e freqüências. Face à introdução dos aviões *wide-body* em diversas outras empresas estrangeiras de transporte aéreo, a VARIG, em

*Desenvolvido a partir do Boeing 737-200, o 737-300 possui uma série de modificações que fazem dele um excelente avião para linhas de curta e média distância. Os dois primeiros chegaram em setembro de 1987, e outros 23 foram posteriormente adquiridos, transformando o Boeing 737-300 no avião mais numeroso da frota da VARIG.*

*Em janeiro de 1981, a VARIG ingressou na família de operadores do "Jumbo" ao receber o primeiro de três Boeing 747-200B. Com a capacidade de carregar até 500 passageiros, os aviões da VARIG costumavam voar numa configuração mais confortável para 359 passageiros.*

novembro de 1972, escolheu o McDonnell-Douglas DC-10-30 como o *wide-body* que ela usaria para o restante daquela década e a seguinte. Firmando uma encomenda inicial para quatro trirreatores DC-10-30 em março de 1973, o primeiro chegou ao Rio de Janeiro em maio de 1974 e foi imediatamente colocado na linha Rio/Nova York. As linhas domésticas de curta e média distâncias não foram esquecidas, e em fevereiro de 1974 a VARIG encomendou dez birreatores Boeing 737-200, que começaram a ser entregues em outubro daquele ano. No entanto, aquela década assistiria a mais outra absorção de uma empresa de vulto e também antiga rival, a Cruzeiro do Sul. Duramente golpeada pela crise do petróleo de 1973/74, agravada por uma combinação de fatores que a colocaram em uma posição financeira extremamente frágil, a Cruzeiro do Sul foi alvo de diversas negociações que só terminaram com a sua fusão à VARIG, em 22 de maio de 1975. E, como ocorrera dez anos antes, a VARIG embarcou num processo de reorganização de suas linhas a fim de consolidar sua posição no mercado — um objetivo plenamente conquistado na virada da década seguinte, apesar das dificuldades impostas pelo governo federal, como a cobrança de um depósito compulsório para viajar para o exterior e uma inflação cada vez mais descontrolada.

*O Boeing 747-400 incorpora tecnologia de ponta em termos de aviônica e aerodinâmica. A VARIG operou três dessas aeronaves entre 1991 e 1994.*

*Os Boeing 767-200ER destinam-se principalmente às linhas internacionais que ligam o Brasil com a América do Norte e alguns países da América do Sul. É o primeiro birreator homologado para a travessia oceànica.*

Ao consolidar suas principais linhas domésticas e levar adiante a abertura de outras, a VARIG foi gradativamente deixando de lado as linhas puramente regionais — especialmente as do seu estado natal. Esse problema foi notado pelo governo federal, que, como medida para encorajar o estabelecimento e o desenvolvimento de linhas regionais, assinou em novembro de 1975 um decreto regulamentando o sistema de empresas regionais de transporte aéreo. Na esteira desse decreto, nasceu e cresceu a Rio-Sul. Fundada em agosto de 1976 através de um consórcio formado pela VARIG e a Top Táxi Aéreo, a Rio-Sul Serviços Aéreos Regionais ficou responsável por toda a Região Sul do Brasil, usando inicialmente aviões Piper PA-31 Navajo, mais tarde complementados por uma frota de oito aviões EMBRAER EMB-110 Bandeirante. Em dois anos, a Rio-Sul já servia a 27 cidades do Sul e Sudeste brasileiro, e na década seguinte vivia um crescimento meteórico.

A década de 80 não assistiu à repetição do crescimento explosivo da VARIG nas décadas de 60 e 70, um fenômeno que provavelmente jamais se repetirá na história da aviação comercial brasileira. Os anos 80 trouxeram a incorporação de aviões como o Boeing 747-200B, Boeing 747-300, Boeing 767-200ER, Boeing 737-3K9/341 e Airbus A300B4-200. Porém, mais importante foi desenvolver ainda mais a qualidade de seus serviços — uma tarefa bem-sucedida, pois a VARIG, que sempre gozou de um conceito altíssimo no Brasil e no exterior, é referência para usuários e concorrência.

No entanto, o processo de desregulamentação do transporte aéreo nos Estados Unidos, iniciado em 1978, detonou uma seqüência de eventos cujas conseqüências seriam sentidas profundamente em toda a indústria mundial de transporte aéreo. Copiado em outros países europeus, a conseqüência quase imediata desse processo de desregulamentação foi a eclosão de uma guerra tarifária sem paralelo na história da aviação comercial mundial, atingindo em cheio o tráfego doméstico e internacional em várias regiões do mundo. O aumento dos preços dos combustíveis no final da década de 80 e o conflito do Golfo Pérsico em 1991 fizeram com que a indústria mundial de transporte aéreo ingressasse em um período de enorme e prolongada recessão. Por força desses eventos e de outros fatores internos, a VARIG se viu ante a desagradável situação de assistir a uma queda em seus resultados financeiros durante os primeiros anos da década de 90. Em conseqüência, teve que tomar providências para contornar, da melhor forma possível, esse período transitório de dificuldades. Já na metade da década, foram suprimidas linhas inteiras que não apresentavam a rentabilidade desejada e escalas menos produtivas de outras linhas. Desfazer-se de algumas aeronaves e enxugar a sua administração foram exemplos de medidas tomadas pela VARIG, que hoje enfrenta o futuro com enorme confiança. Como sinal visível dessa confiança às vésperas do século XXI, a VARIG introduziu, na segunda metade de 1996, sua nova imagem. Mas, sem dúvida, nesse ano em que ela comemora 70 anos de existência, o maior ativo da VARIG são seus funcionários — homens e mulheres dedicados à permanência de um ideal.

*O sucesso alcançado pelo McDonnell-Douglas DC-10 estimulou a VARIG a encomendar, aviões MD-11 produzidos pela mesma empresa norte-americana. Externamente similar ao DC-10 do qual evoluiu, o MD-11 reflete o estado da arte em termos de aviônica e motores.*

*Responsáveis pelas principais linhas internacionais de longa distância, os Boeing 747-300 são atualmente os maiores aviões da frota da VARIG.*

# 70 ANOS DE COMANDO

Apesar de seus estilos distintos na condução de uma companhia de transporte aéreo, a VARIG sempre contou com líderes que souberam navegar com habilidade dentro desse mercado altamente competitivo e sujeito a uma multiplicidade de fatores que determinam a sobrevivência ou a morte de uma empresa. Seu primeiro presidente, Otto Ernst Meyer Labastille, um alemão nascido em 1897 no lugarejo de Nieder-Marschhacht, era um homem com todas as características de um idealista obstinado - traços imprescindíveis para a sobrevivência e o sucesso de uma empreitada que inicialmente teve que lutar contra a descrença generalizada em relação ao transporte aéreo como uma atividade séria. Sob a batuta desse ex-oficial-aviador da Aviação Real Prussiana, a VARIG abriu campos de pouso, adquiriu aeronaves e montou suas primeiras instalações, enfrentando toda sorte de dificuldades políticas e financeiras que obravam, direta ou indiretamente, contra a própria existência da empresa. Eleito quando da fundação da VARIG, os 15 anos da presidência de Otto Ernst Meyer foram suficientes para que ele construísse uma fundação sólida para os anos de enorme expansão que viriam.

Gaúcho de Porto Alegre, Ruben Martin Berta foi o primeiro empregado contratado pela VARIG, e rapidamente se tornou o braço-direito do presidente-fundador da empresa. Com a renúncia de Otto Ernst Meyer, em dezembro de 1941, Ruben Berta, alçado à presidência imprimiu um estilo inconfundível de liderança forte, facilmente confundida com autoritarismo ou demasiado rigor. No entanto, ele soube dosar habilmente o grau de conservadorismo ou de ousadia em proporções corretas e nos momentos certos. Durante a sua presidência, idealizou e criou a Fundação dos Funcionários da VARIG - proposta muito arrojada para a época - e traçou um ordenado e conservador programa de expansão para a empresa. A meta de conservar energia foi correta: a enorme expansão da malha de linhas da VARIG ocorrida durante a década de 50 foi efetuada quando muitos de seus rivais já se encontravam quase exauridos ou nem existiam mais. Norteando os rumos da VARIG durante 25 anos, assistindo ao fantástico crescimento da empresa durante a primeira metade da década de 60, Ruben Martin Berta faleceu em seu escritório, em dezembro de 1966.

Oriundo da Panair do Brasil e exercendo o cargo de Vice-Presidente da VARIG, o carioca Erik Kastrup de Carvalho assumiu a função de Presidente no mesmo mês em que Ruben Martin Berta faleceu. Nos 13 anos seguintes, coube a Erik de Carvalho consolidar as conquistas do início da década de 60, dando continuidade ao trabalho iniciado por seu antecessor. Sob sua tutela, a VARIG introduziu maciçamente o uso de jatos nas suas linhas domésticas, instalou o maior parque de manutenção aeronáutico da América do Sul e se lançou à compra dos primeiros aviões *wide-body* da empresa. Erik de Carvalho viu-se porém na obrigação de renunciar ao cargo em 1979, quando problemas de saúde o incapacitaram para a difícil tarefa de liderar a VARIG. Coube a um dos funcionários mais antigos da empresa, Harry Schuetz, um gaúcho de Santa Cruz do Sul, levar adiante os projetos legados por Ruben Berta e Erik de Carvalho. No entanto, da mesma forma que seu predecessor, Harry Schuetz foi obrigado a se afastar do cargo de Presidente da VARIG no início do ano seguinte.

Em abril de 1980, assume as funções como quinto Presidente da VARIG o então Diretor de Administração e Controle, o gaúcho Hélio Smidt. Sob seu comando, a VARIG acrescentou mais linhas internacionais e domésticas à sua rede, dando porém especial atenção às rotas domésticas para o interior do Brasil. No plano material, Hélio Smidt assegurou a modernização da frota através da incorporação dos Boeing 747-200B, 747-300, 767-200, 767-300 e 737-300. Dirigindo a empresa dentro de uma filosofia extremamente dinâmica, Hélio Smidt deu muito valor ao homem e o trabalho de equipe. A auspiciosa entrada da VARIG nos anos 90 perdeu um pouco de seu brilho com o falecimento de Hélio Smidt, em abril de 1990,. Nesse mesmo mês, foi eleito Rubel Thomas. Nos cinco anos que durou sua presidência, esse nativo de São Luiz Gonzaga (RS) liderou a VARIG no difícil período que atingiu duramente toda a indústria de transporte aéreo. Mesmo assim, foram abertas novas rotas internacionais e domésticas na malha de linhas da VARIG, tendo sido incorporado ainda um lote de aviões Boeing 747-400. Em abril de 1995, foi eleito um novo Presidente, e assumiu as funções Carlos W. Engels, que administrou o período de transição que a VARIG atravessava. Uma outra eleição trouxe um novo presidente, Fernando Abs da Cruz Souza Pinto. Filho de um antigo comandante da VARIG e também piloto, ele assumiu a Presidência da VARIG em janeiro de 1996. Presidente da Rio-Sul Serviços Aéreos Regionais por quatro anos, Fernando Souza Pinto não é nenhum novato na liderança de uma companhia de transporte aéreo, e seus atuais planos visam à consolidação da reestruturação da VARIG, buscando níveis adequados de rentabilidade, padrões de serviço aprimorados e a renovação da imagem corporativa da empresa.

*Os Presidentes da VARIG, da esquerda para a direita: Otto Ernst Meyer Labastille, Ruben Martin Berta, Erik Kastrup de Carvalho, Harry Schuetz, Hélio Smidt, Rubel Thomas, Carlos W. Engels e Fernando Abs Cruz da Souza Pinto.*

# A Estrada dos Céus

## A Instrução na Varig

Poucos anos depois da criação da VARIG, ressaltou a necessidade de um programa de instrução para candidatos a piloto que pretendiam integrar o efetivo da empresa. Já estava prevista, nos estatutos da companhia, a organização de um setor de instrução. Uma tentativa nesse sentido foi feita em 1932, sem alcançar o sucesso desejado. Além disso, os recursos materiais e financeiros dos seus primeiros 10 anos de existência inibiam a montagem de uma escola para atender especificamente essa necessidade. Foi somente em 1937, com o regresso de Carlos H. Ruhl da Alemanha, que ficou decidido e logo transformado em realidade o sonho de formar uma escola de aviação. Trazendo consigo da Alemanha todos os *brevets* que podiam ser concedidos pelo Ministério da Aeronáutica daquele país, Carlos H. Ruhl imediatamente se dedicou ao trabalho de organizar a nova escola. Finalmente, em 15 de fevereiro de 1937, o empenho de Carlos Ruhl foi recompensado com a fundação do departamento aerodesportivo da VARIG, a Varig Aero Esporte (VAE), que iniciou de imediato suas atividades práticas. Destinada ao incentivo e desenvolvimento das atividades aerodesportivas, os poucos meses desde sua formação indicavam que a VAE prosperaria muito além das expectativas de seus idealizadores. Seus primeiros alunos construíram quatro planadores Weltensegler Hol's der Teufel de instrução, utilizando-os para se brevetarem. A metodologia de ensino empregada naquela época, e que acompanharia a VAE durante muitos anos, era fazer os alunos trabalharem 50 horas antes de iniciar a instrução de vôo. No ano seguinte, a VAE adquiriu seu primeiro avião-reboque, um Klemm Kl.25, e até o final de 1939 ela já havia formado 100 pilotos de vôo a vela e outros oito pilotos de aeronave convencional. Em 1943, o número de alunos da VAE ultrapassava a marca dos 150, e a escola dispunha de 16 planadores e 7 aviões, havendo formado 58 pilotos de turismo e 261 pilotos de vôo a vela. No intervalo de sete anos, a VAE realizara 18.417 reboques e quebrara um grande número de recordes nacionais e sul-americanos em diferentes categorias de vôo a vela. No entanto, talvez o mais importante foi o fato de que a VAE passou a ser o celeiro de pilotos da VARIG, que introduziu de forma natural os seus primeiros pilotos brasileiros, quando outras empresas, como a Panair do Brasil e a Sindicato Condor, tiveram que fazê-lo às pressas, em função do Código Brasileiro do Ar, decretado em junho de 1938.

*Construídos pelos alunos, um grupo de planadores da VAE - VARIG Aero Esporte - aguarda seus pilotos diante do hangar da escola.*

Recebendo aviões Bücker Bu-131D Jungmann e Bücker Student, a VAE foi progredindo paulatinamente durante todo o transcorrer da Segunda

*Entre os aviões recebidos pela VAE pouco antes da 2ª Guerra Mundial, encontravam-se biplanos Bucker Bu-131D-2 Jungmann.*

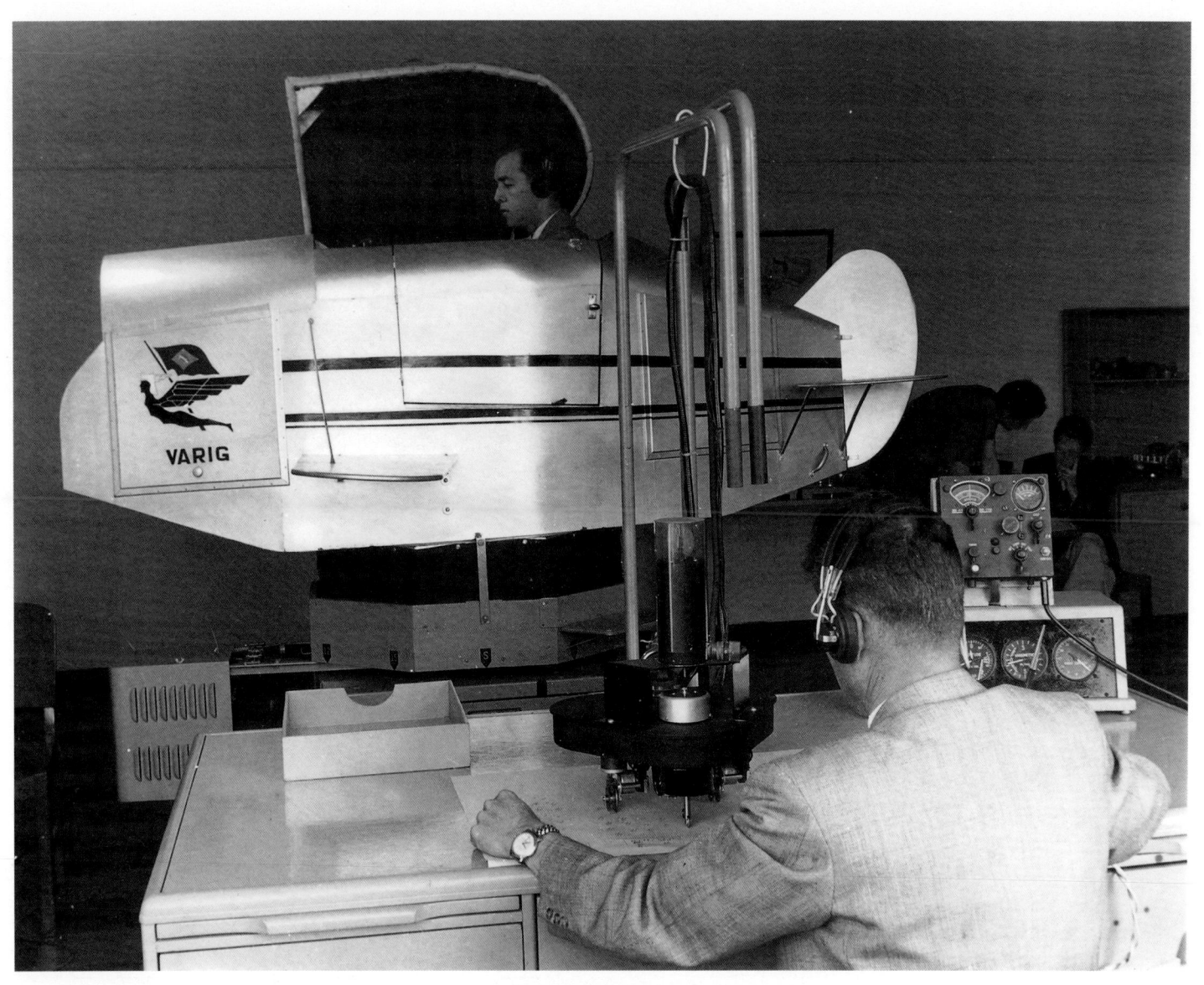

*Projetado nos primeiros anos da Segunda Guerra, o* Link Trainer *foi um dos precursores dos modernos simuladores de hoje. Esse estranho aparelho dava aos alunos as primeiras noções do vôo por instrumentos.*

Guerra Mundial. Recebeu ainda, como doação da Campanha Nacional da Aviação, aviões CNNA HL-1 e CAP-4 Paulistinha. Esse ritmo de evolução, ao menos no que diz respeito à instrução, permaneceu inalterado até 1947, quando a VAE foi absorvida pelo Departamento de Ensino da VARIG. Assim, o material e pessoal que pertencia à VAE passaram a se dedicar exclusivamente ao preparo de monitores subvencionados pelo Governo Federal. No entanto, quatro anos mais tarde, em 1951, a VAE foi extinta, pois o Departamento de Ensino não se dedicaria mais às atividades aerodesportivas, papel que estava sendo desempenhado mais do que habilmente pelos diversos aeroclubes que surgiram em todo o estado do Rio Grande do Sul durante a guerra e os anos imediatamente seguintes. No lugar da VAE, foi formada a Escola VARIG de Aeronáutica (EVAER), que se dedicaria somente à formação de pilotos comerciais e de mecânicos de aviação. Para isso no entanto seria necessário adquirir o material adequado para a execução dos distintos cursos, e o problema maior residia na deficiência de aviões que possuíssem determinadas características para a instrução de vôo por instrumentos. O Ministério da Aeronáutica colaborou com os esforços em montar o que efetivamente seria a primeira escola de aviação do país, criada com o fim específico de formar pilotos comerciais, entregando à EVAER uma pequena quantidade de aviões Fairchild PT-19B, muitos dos quais haviam sido utilizados originalmente na formação de diversas

*Durante a década de 50, a EVAER possuía à sua disposição uma quantidade relativamente grande de aviões de instrução primária Fairchild PT-19, uma aeronave de construção simples que apresentava características ideais para a instrução de vôo.*

turmas de oficiais-aviadores da Força Aérea Brasileira. Por sua vez, a VARIG importou dos Estados Unidos um lote de aviões Vultee BT-13, que ofereciam condições para a realização de vôos por instrumentos. Paralelamente, era imperativo dar aos futuros instrutores da EVAER o treinamento necessário para que eles ministrassem corretamente e de forma padronizada a instrução de vôo por instrumentos. Como consequência, todos receberam um esmerado treinamento de vôo por instrumentos desenvolvido localmente.

Aprovados no exame médico e concluída com sucesso uma bateria de exames teóricos, os 20 candidatos da primeira turma iniciaram sua instrução em julho de 1952, e o Curso de Piloto Comercial encerrou-se com 16 alunos em janeiro de 1954. O currículo desse curso consistia em cerca de 175 horas de vôo distribuídas em três estágios em que eram feitos a instrução de vôo primário e básico, navegação, acrobacia e vôo por instrumentos, entre outros. Nos anos seguintes, o teor do Curso de Piloto Comercial da EVAER sofreria transformações, e os aviões empregados passariam a ser outros. No entanto, a qualidade dos formandos do CPC era inegavelmente excelente, característica que acompanharia a EVAER até sua dissolução, na década de 90.

Os comissários de vôo que integraram as tripulações dos aviões da VARIG a partir de 1946 também se ressentiam da falta de uma instrução sistemática. No entanto, essa carência só foi suprida após a assinatura do contrato de venda para a VARIG dos Lockheed Super Constellation. O primeiro curso começou em 1954 e incluiu a primeira turma de comissárias de vôo. Com instrução em uma vasta gama de matérias, que iam desde meteorologia e aerodinâmica até etiqueta e cozinha, os primeiros cursos destinados à tripulação de cabine foram aos poucos sendo moldados para atender às reais necessidades da empresa, preparando-os para as muitas tarefas que eles desempenhariam durante o vôo. Com o passar dos anos, a duração do curso que formava a tripulação de cabine foi fixada em quatro meses, com matérias que incluíam aquelas originalmente ministradas nos primeiros cursos e outras que visavam à segurança do passageiro. Enfrentando aulas práticas de sobrevivência no mar alternadas com lições de etiqueta, geografia turística e primeiros socorros, a excepcional qualidade dos comissários e comissárias formados pela VARIG ganhou fama entre os usuários e a concorrência.

Hoje, a VARIG não mais forma pilotos e comissários. As transformações vividas pela empresa e suas necessidades fizeram com que fossem suprimidos os cursos. Para o ingresso no quadro de pilotos da VARIG, é dada preferência àqueles que possuem um bacherelado em ciências aeronáuticas, curso ministrado pelo Instituto de Ciências Aeronáuticas da Pontifícia Universidade Católica do Rio Grande do Sul. Com duração de 3 anos, o curso exige, dentre outras coisas, que o aluno já possua o brevê de piloto privado e certificado de saúde de 1ª classe emitido pelo Centro de Medicina Aeroespacial do Ministério da Aeronáutica. Com uma carga horária de pouco mais de 2.600 horas, o curso compreende diversas disciplinas técnicas, como teoria do vôo, meteorologia, sistemas de aeronaves, estrutura e manutenção de aeronaves e regulamentos de tráfego aéreo nacional e internacional.

*O rigoroso treinamento exigido pela VARIG aos candidatos a tripulantes de cabine formava aeromoços e aeromoças, denominação dada na época aos profissionais, que ajudaram a trazer à companhia a fama de seu serviço de bordo que perdura até hoje.*

No entanto, são ministradas disciplinas de formação geral, que incluem direito aeroespacial, segurança de vôo, medicina aeroespacial, sociologia e inglês. O objetivo fundamental do curso de Ciências Aeronáuticas é só formar pessoas para a função de pilotos aptas a acompanharem as constantes e cada vez mais velozes transformações dessa área, mas enfatizar o caráter gerencial dessa atividade. No entanto, para ingressar na VARIG, é necessário concluir o curso de Piloto Comercial e estar habilitado para vôo por instrumentos. Para isso, o aluno deverá buscar um aeroclube que possua a homologação para ministrar os dois cursos.

Uma vez admitido na VARIG, o piloto não está isento de sessões periódicas de treinamento ao longo da carreira. Ao ingressar, ele recebe instrução específica na aeronave em que será co-piloto, procedimento que exigiu muitas horas de treinamento. Ao passar para outros tipos de aeronaves, sempre como co-piloto, ele receberá instrução específica naquele tipo de avião. Ao ser promovido para o posto de comando, o processo se repete. Para o comandante e o co-piloto, o transcorrer do ano reserva uma sessão no simulador de vôo, uma complexa máquina que custa tanto quanto o mais caro dos jatinhos executivos. Montados sobre pernas articuladas e externamente em nada se parecendo com um avião de verdade, os simuladores da VARIG, disponíveis em

*Elaborado na metade da década de 50, o Curso de Formação de Comissários ministrava instrução sobre assuntos tão diversos como etiqueta e aerodinâmica.*

*O Curso de Ciências Aeronáuticas da PUC-RS vem matriculando moças e rapazes, preparando-os, para a profissão de pilotos comerciais mas sempre enfatizando o caráter gerencial da profissão. Ingressando no CCA/PUC-RS já habilitados como pilotos privados, esses jovens tardarão 3 anos antes de conquistarem o bacharelato em ciências aeronáuticas que os habilita a ingressarem na VARIG.*

suas instalações na Ilha do Governador, são internamente a cópia fiel de determinados tipos de aeronaves operada pela VARIG. Conectados a computadores, esses simuladores reproduzem com espantosa fidelidade o ambiente dentro da cabine de comando de uma aeronave, chegando ao requinte de apresentar o característico ruído dos motores, as ligeiras vibrações que sempre acompanham o vôo de uma aeronave e até mesmo cenários e paisagens através do pára-brisa. O objetivo dessas sessões é didática - simplesmente "afiar" os reflexos da tripulação para todas as possíveis emergências de um vôo. Quando os instrutores inserem um programa que contém uma pane crítica, minutos depois uma cacofonia de buzinas e sirenes invade a cabine, enquanto luzes de emergência piscam freneticamente no painel de instrumentos. Caso a tripulação não faça nada, reaja de forma equivocada, ou demore em aplicar alguma ação corretiva, o *show* de som e luzes aliado à agitação cada vez maior da cabine só irá piorar. Uma sessão no simulador é capaz de aumentar consideravelmente os níveis de humildade de qualquer pessoa, e o fato é que ele é um instrumento que vale cada centavo do seu altíssimo custo. Ademais, de alguns anos para cá, a sessão anual no simulador foi acrescida de outra que visa a aplicar os conceitos de *Cockpit Resources Management* (CRM), estimulando uma tripulação inteira a utilizar todos os recursos materiais e humanos existentes em uma cabine de pilotagem na busca da solução de algum problema - não necessariamente uma emergência - que esteja afetando o bom andamento do vôo. A finalidade das sessões de CRM é enfatizar a capacidade de interação entre os membros de uma tripulação técnica com o ambiente em que se encontram, de forma que eles estejam mais sintonizados para identificar e solucionar uma emergência que ainda esteja incipiente.

As comissárias e comissários da VARIG de hoje não são mais formados pela própria empresa. Há alguns anos isso é função das muitas escolas e cursos particulares organizados em diversas cidades do país, sobretudo Rio de Janeiro e São Paulo. Basicamente com a mesma duração que o curso antes ministrado pela VARIG, uma vez aceitos, eles ainda irão enfrentar um mês de rigoroso treinamento dentro da própria empresa, sob os auspícios do Centro de Treinamento de Comissários. Afinal, eles foram treinados para serem comissários e comissárias, mas não comissários e comissárias da VARIG... o que pode significar um mundo de diferença. Como ocorre com as tripulações técnicas, as tripulações de cabine são submetidas a sessões periódicas de reciclagem, além dos períodos de instrução da transferência de um tipo de aeronave para outro.

Toda essa preocupação da VARIG com treinamento é facilmente justificada. As principais considerações dentro da VARIG no que diz respeito à forma e ao tipo de serviço que ela presta para a comunidade se resumem em conforto, pontualidade e segurança — e esta última supera em importância, e por larga margem, as duas primeiras. Como esse treinamento contínuo proporciona essa margem adicional de segurança, a VARIG não hesita em investir recursos e esforços consideráveis para proporcionar uma melhoria nos níveis de segurança de cada um de seus vôos.

*Um dos aeroclubes homologados a realizar a instrução prática e teórica de vôo por instrumentos, além do curso de piloto comercial, é o Aeroclube do Rio Grande do Sul. Sediado nas cercanias de Porto Alegre, essa organização é um dos mais antigos aeroclubes hoje existentes no Brasil, e reconhecido pela qualidade do ensino que ministra aos seus alunos. Por sua localização, tem formado grande parte dos atuais pilotos da companhia.*

EMERGENCY ESCAPE ROPE
SEAT MUST BE IN
FORWARD 7 INCHES OF TRAVEL
DURING TAKEOFF AND LANDING

*Verdadeiras maravilhas da tecnologia moderna, os simuladores de vôo à disposição da VARIG são, internamente, exatamente iguais às cabines dos aviões que simulam. São capazes de realizar movimento em três eixos, além de apresentar com exatidão as funções de todos os instrumentos da cabine. Longas e realísticas, as sessões no simulador podem ser tão ou mais extenuantes que um vôo de verdade.*

# Profissionalismo na Cabine
## Comandantes e Co-pilotos

Ao longo das muitas décadas desde sua fundação, a VARIG viveu muitas mudanças e transformações em sua organização, nos aviões que utiliza em suas linhas e na extensão de suas rotas, cuja rede hoje abraça o globo terrestre. Contudo, algumas poucas coisas permanecem imutáveis, mesmo com a passagem dos anos — entre elas, a fibra e a qualidade dos pilotos que conduzem as aeronaves da VARIG. Começando com alguns pilotos alemães que desbravaram céus gaúchos em aviões e hidroaviões rudimentares, até os pilotos que hoje percorrem diariamente os quatro cantos do país e levam a bandeira brasileira para 23 países, essas diversas gerações de aviadores da VARIG guardam muitas semelhanças entre si, apesar dos anos que as distanciam.

Durante a primeira década de existência, todos os pilotos e mecânicos da VARIG eram de origem alemã, e tinham a responsabilidade de transformar em realidade o sonho de um grupo de homens de visão — uma difícil tarefa, agravada pela completa ausência de uma infra-estrutura aeroportuária, de quaisquer formas de auxílio à navegação aérea e pela própria precariedade das aeronaves da época. A simplicidade desses primeiros aviões e hidroaviões da VARIG não se limitava aos motores e à estrutura da aeronave, mas a própria confiabilidade do material podia tornar um tranqüilo vôo de algumas dezenas de quilômetros em algo um pouco mais emocionante. Por força desses e outros fatores, era conveniente realizar o vôo — ao menos nas aeronaves consideradas terrestres — a uma altura relativamente baixa, que por vezes chegava a cinco metros do solo ou menos e quase nunca superava a altitude de 200 metros acima do terreno. Esse tipo de vôo, geralmente conhecido como "cisca" ou "saltando cercas", exigia uma habilidade de pilotagem extremamente apurada. Contando com cinco ou seis instrumentos tipo relógio que indicavam com muita imprecisão a velocidade, altitude, rumo, rotações do motor e mais outra meia dúzia de informações, o piloto muitas vezes recorria a um ou mais dos seus cinco sentidos. Tornaram-se lendárias na empresa as façanhas de um intrépido alemão, piloto de Junkers F.13, que chegava a recorrer ao olfato para determinar sua posição durante o vôo. De fato, ele e outros provavelmente conheciam o relevo do terreno melhor que qualquer topógrafo com anos de estudo das coxilhas gaúchas.

A seu próprio modo, esse pequeno grupo de pilotos foi responsável pelo desbravamento aeronáutico do interior gaúcho, auxiliando no planejamento de novos campos de pouso, na ampliação dos poucos que já existiam e na instalação de uma rede de comunicações — isso apesar das dificuldades que a VARIG enfrentou durante quase toda a primeira metade da década de 30. Contando com um pequeníssimo núcleo de mecânicos, os pilotos da VARIG daquela época muitas vezes se viam diante da contingência de se fazerem as vezes de mecânicos para sanar uma pane ocorrida em rota ou no aeródromo de destino. Não bastava ter os conhecimentos necessários. Freqüentemente o piloto tinha que recorrer à sua engenhosidade para uma solução eficiente e rápida que colocasse a aeronave em situação de disponibilidade. E, apesar do enorme esmero dispensado pelos mecânicos às aeronaves sob sua guarda, o fato é que dificilmente se passava um mês sem que um piloto se deparasse com uma ou duas panes que interrompiam o vôo. Para os pilotos da época, era apenas mais um inconveniente a ser tolerado, juntamente com o mau tempo, os vôos expostos aos elementos em naceles abertas, as longas jornadas de trabalho e os pernoites em hotéis de péssima qualidade.

Desde a época do Dornier Do J Wal, o piloto tinha por vezes que desempenhar o papel de comissário, distribuindo bolas de algodão e caixas com lanche, além de instruir os passageiros sobre determinados itens de segurança — como

*Atualmente, a VARIG conta com pouco mais de 1.300 pilotos que vieram dos mais diversos segmentos socio-culturais e econômicos do país. São unidos por um único denominador comum: o vôo. Para a maioria dos homens e mulheres que compõem o quadro de pilotos da empresa, pertencer a VARIG é uma realização profissional e pessoal.*

não abrir as janelas do Dornier Wal durante o pouso e a decolagem, devido ao perigo de entrar um grande volume de água pelas escotilhas, ou lançar objetos para fora da aeronave através das janelas abertas de um Junkers F.13, Messerschmitt M.20b ou Junkers Ju 52/3mge. E era também incumbência dos pilotos preparar os neófitos para o que era, potencialmente, uma viagem cheia de aventuras. A ausência de isolamento entre passageiros e tripulação muitas vezes resultava, durante o vôo, em um rápido tapinha nas costas do piloto, logo seguido de algum pedido insólito. A despeito da cacofonia gerada pelo motor de um Junkers F.13 ou um Messerschmitt M.20b, não eram infreqüentes as ocasiões em que um passageiro tentava manter uma conversa com um ou outro membro da tripulação. A verdade era que, nesse período inicial da história da VARIG, a sensação contagiante de estar participando diretamente de algo verdadeiramente emocionante não escapava à percepção de tripulantes e passageiros.

Mesmo com a inclusão, na segunda metade da década de 30, de novas aeronaves, o quadro de aviadores da VARIG se manteve bastante pequeno, e o número de pilotos em 1937 não passava de quatro — quando a empresa possuía cinco aeronaves. O ano seguinte não assistiu a uma melhoria no que diz respeito a pessoal qualificado, e a VARIG operava unicamente com três pilotos enquanto sua frota aumentara para seis aviões, com a aquisição de um Junkers Ju 52/3mge pertencente à South African Airways. Era evidente a necessidade de ampliar o quadro de pilotos da empresa, e rapidamente, caso a VARIG quisesse ampliar sua rede de linhas para fora do Rio Grande do Sul. Essa providência foi tomada com a fundação da VARIG Aero-Esporte (VAE), tendo como propósito, dentre outros a formação de pilotos mercantes para tripularem as aeronaves da empresa e as que certamente viriam em um futuro próximo.

Na virada da década, a VARIG já contava com pilotos brasileiros — embora dois fossem descendentes de alemães. No entanto, o período de utilização de material aeronáutico exclusivamente de origem alemã já estava com seus dias contados em vista da guerra que eclodira na Europa. Com a fonte de suprimento cortada pela raiz e dependendo dos mais diversos meios para garantir a contínua disponibilidade de suas aeronaves, situação agravada pela perda do Junkers Ju-52/3mge *Mauá* em fevereiro de 1942, a VARIG se lançou febrilmente à aquisição de mais aeronaves. Essas seriam de outras procedências que não alemã e muitas teriam uma vida efêmera na empresa — mas não sem antes agregarem seu quinhão de anedotas ao folclore dos pilotos da VARIG. A primeira aeronave a chegar foi o único Fiat G.2 existente no mundo, um trimotor italiano de construção metálica capaz de transportar seis passageiros, mas cheio de desconcertantes cacoetes. Conhecido entre os pilotos como "Spaghetti", o Fiat G.2 tinha como características marcantes o fato de ser longitudinalmente instável, o que exigia atenção redobrada por parte dos pilotos, e possuir um quadrante de manetes que tornava necessário puxar as alavancas para trás para aumentar a potência dos motores e vice-versa — uma idiossincrasia bastante perigosa, visto que qualquer outra aeronave do mundo possuía um quadrante de manetes que funcionava justamente ao contrário. A aeronave seguinte foi adquirida de uma companhia têxtil paulista, um elegante bimotor de Havilland DH-89A Dragon Rapide que, tal como o Fiat G.2, podia transportar seis passageiros. Incapaz de voar monomotor e dotado de motores que manifestavam verdadeira aversão à chuva, o DH-89A, ou "Dragão", como foi apelidado por pilotos e mecânicos da VARIG, passaria para a história da VARIG como o avião que inaugurou a primeira linha internacional da empresa. Entretanto, tanto o Dragon Rapide como o Fiat G.2 foram retirados de serviço em 1945 e vendidos por causa da absoluta falta de confiança por parte dos pilotos para com essas aeronaves.

No entanto, em 1943, a VARIG se viu diante da oportunidade de adquirir da Panair do Brasil, por US$ 120.000 cada, através da Defence Supplies Corp., dois bimotores Lockheed Electra — um modelo 10E e o outro um modelo 10C. Capazes de alcançar uma velocidade de cruzeiro de 310/330 km/h e com uma configuração

*Cabine de comando do Caravelle I, o primeiro jato operado pela VARIG. De design elegante, essa aeronave francesa impulsionou a companhia para a era dos aviões à reação.*

interna para o transporte de 10 passageiros, esses dois Electra foram os primeiros de um total de oito adquiridos pela VARIG até abril de 1945. Além do enorme reforço em termos de material aeronáutico que esses aviões representaram para a empresa, os Electra introduziram entre os pilotos algumas novidades que não existiam nos aviões da VARIG da época. Ganhando o apelido de "Electrinha" e munidos de equipamento de navegação radiogoniométrica e vôo por instrumentos, os Electra foram os primeiros aviões da VARIG a dispor de um trem de pouso retrátil. Talvez sem perceber, os pilotos daquele momento deixavam para trás uma era de pioneirismo, improvisação e aventura, para ingressar gradualmente em um período de grande profissionalismo.

O fim da guerra na Europa trouxe para a VARIG, como para muitas outras empresas de transporte aéreo que existiam ou estavam em formação no Brasil naquela época, a possibilidade de adquirir por somas irrisórias aviões praticamente talhados para o transporte de passageiros. Assim, a VARIG rapidamente reuniu os recursos necessários para adquirir, em fevereiro de 1946, quatro aviões Douglas C-47B que pertenciam à *United States Army Air Force*, pagando por cada aeronave entre US$ 30 e 35 mil. E, como ocorreu em tantas outras companhias de transporte aéreo pelo mundo afora, a frota de 49 aeronaves Douglas C-47A/B e C-53, todos conhecidos genericamente pela designação DC-3, se transformou na pedra fundamental da VARIG. Representando um verdadeiro salto em termos de eficiência e conforto para os tripulantes técnicos, os C-47B serviram em praticamente todas as linhas domésticas e algumas poucas internacionais da VARIG. Terminando os seus dias compartilhando os pátios de estacionamento com aviões gerações à sua frente, os C-47 da VARIG foram aposentados após 23 anos de excelentes serviços — uma vida útil excepcionalmente longa para uma aeronave que voou pela primeira vez em 1935. E, tal como os aviões responsáveis pela abertura das principais rotas entre Porto Alegre e as cidades da região Sudeste, os C-47 e seus pilotos figuram proeminentemente no folclore da empresa.

No entanto, possivelmente os aviões mais característicos da empresa no final da década de 40 e primeira metade dos anos 50 tenham sido os 22 Curtiss C-46A/D que começaram a chegar em maio de 1948. Capaz de transportar o dobro de passageiros do que os C-47, foi com esse tipo de aeronave que a VARIG inaugurou o primeiro serviço aeropostal noturno nas regiões Sul e Sudeste do país. E foi com o C-46 que a VARIG pôs em prática uma interessante experiência — a de dotar alguns desses aviões com motores a jato, fazendo com que o C-46 fosse, tecnicamente, a primeira aeronave brasileira a ser equipada com motores a reação. Dotando os Curtiss C-46 com pequenos motores Turbomeca Pallas, o propósito era reduzir substancialmente a corrida de decolagem desses aviões quando operavam em pistas de dimensões reduzidas. E de fato esse sistema era extremamente eficiente, mas por vezes dava ao piloto desavisado e a seus passageiros uma emoção um pouco mais forte, como foi o caso de um comandante que, ao ingressar na pista para dar início à decolagem, percebeu que os passageiros abandonavam rapidamente a aeronave, por causa do pânico de uma labareda emitida pelo motor Pallas e que incendiara a tela que revestia o aileron da asa direita. Com uma enorme capacidade de carga, os C-46 se tornaram ideais para o transporte de malotes postais e carga em geral. Um período memorável para muitos pilotos de C-46 na última metade da década de 50 foi um contrato firmado entre a VARIG e um frigorífi-

*O comandante de uma aeronave deixa a cabine de comando para cumprimentar um passageiro transportado com muito carinho em todos os vôos da VARIG: Pelé.*

co no norte do país. Fazendo uma linha cansativa entre Belém e as várias fazendas do frigorífico, o local de descanso para o pernoite dos pilotos consistia em um alojamento extremamente rudimentar infestado de morcegos. As primeiras horas da madrugada eram reservadas para o abate do gado ao lado da aeronave, e em seguida o carregamento de carne embarcado a bordo do C-46.

A assinatura, em 1954, do contrato de compra de três Lockheed L.1049G Super Constellation deu início a uma nova era na VARIG que afetou todos os setores da empresa. Se para a VARIG a aquisição desses aviões representava um salto para muito além dos limites do continente sul-americano, para os pilotos o salto foi tão ou maior que aquele vivido quando da chegada dos primeiros Lockheed Electra. Afinal, o Super Constellation era simplesmente o que de melhor havia no mundo em termos de avião de transporte para passageiros, um quadrimotor capaz de desenvolver uma velocidade de cruzeiro de 480 km/h e levar inicialmente 66 passageiros com inigualável conforto. Para conhecer a fundo essa elegante aeronave de cauda tripla, um núcleo de pilotos foi enviado à cidade de Burbank, na California, para passar por um rigoroso treinamento que lhes permitisse operar com absoluta segurança a nova aeronave. A chegada do primeiro Super Constellation em maio de 1955 e dos outros dois em junho e julho fez com que a empresa escolhesse a dedo os pilotos que tripulariam os L.1049G no que passaria a ser a mais prestigiosa rota da empresa — a Rio/Nova York. Curiosamente, o vôo tinha início em Porto Alegre: alguns poucos passageiros embarcavam ali e em São Paulo, e somente então o vôo seguia para Nova York decolando do Aeroporto do Galeão, no Rio de Janeiro. O tempo de vôo, massacrantes 26 horas, exauria a tripulação técnica e de cabine, mesmo quando esse primeiro grupo alternava cada perna com uma segunda tripulação.

No entanto, a era do Constellation na linha Rio/Nova York seria relativamente breve, pois a VARIG se preparava para ingressar na era do jato. Assinando primeiramente um contrato com a Boeing Airplane Company para a aquisição de aviões Boeing 707-441 e outro contrato com a Sud Aviation encomendando dois birreatores SE-210 Caravelle I, foi justamente o segundo que primeiro chegou ao Brasil. Muitos dos comandantes que haviam levado seguidamente os Super Constellation para Nova York, passaram para o quadro de pilotos do Caravelle, após receberem instrução de um pequeno núcleo de pilotos da VARIG que haviam recebido treinamento em Toulouse, na França. Para aqueles que haviam iniciado sua carreira de piloto comercial na VARIG voando ainda o Junkers F.13, o salto tecnológico foi notável. Apresentando uma velocidade de cruzeiro de 780 km/h, contra os 140 km/h do Junkers F.13, o Caravelle I mostrou-se um avião surpreendentemente fácil de pilotar. Subindo para a sua altitude de cruzeiro com quase 25° de inclinação mesmo com lotação completa — uma característica praticamente desconhecida entre os aviões de transporte aéreo comercial da época —, o Caravelle I apresentava um vôo silencioso e extremamente confortável. Apesar de originalmente se destinar às linhas domésticas e internacionais dentro do continente sul-americano, o Caravelle I foi imediatamente colocado na linha Rio/Nova York pois ainda não existia nenhuma empresa que ligasse os dois continentes com aviões a jato. Contudo, em face da pouca autonomia de vôo, o Caravelle I praticamente re-

*Um comandante de Curtiss C-46A realiza um hábito que persiste até os dias de hoje, a consulta de uma carta de navegação aérea.*

petia o número de escalas técnicas feitas com o Super Constellation, demorando 16 horas para completar o vôo Porto Alegre/São Paulo/Rio de Janeiro/Belém/Port au Spain/Ciudad Trujillo/Nova York.

Nos anos seguintes, a VARIG incorporaria aeronaves mais sofisticadas, capazes de transportarem mais passageiros em percursos muito maiores. As máquinas mudaram, mas os homens que os comandam muito se parecem com os pilotos que levavam frágeis Junkers F.13 de Porto Alegre até pequenas cidades do interior gaúcho. Atraídos desde cedo para o vôo, são homens, e hoje também mulheres, que possuem enorme motivação e dedicação para esse trabalho. É certo que a era pioneira de voar rasante, com o vento batendo no rosto e os olhos buscando uma árvore específica no topo de uma colina para certificar-se de que a navegação até o destino estava sendo feita corretamente, já faz parte de um passado distante. A atual geração de pilotos da VARIG não luta mais contra as limitações técnicas de uma aeronave rudimentar para conseguir chegar ao destino, e o desafio reside na própria execução do vôo. Um procedimento de descida bem-executado, um pouso perfeito, uma navegação em rota executada de forma impecável ou simplesmente a exploração máxima de todos os recursos de que a aeronave dispõe — estes são alguns dos desafios em que a atual geração de pilotos da VARIG se defronta diariamente.

Em vista dos diferentes tipos de aviões que fazem parte da frota da VARIG, os 1.310 comandantes e co-pilotos da VARIG estão distribuídos em grupos de acordo com o tipo de avião. Para o piloto recém-admitido, o começo está na Chefia de Equipamento do 737-200, responsável por todas as atividades operacionais de material e pessoal relativos àquele tipo de equipamento. Ali, ele exercerá as funções de co-piloto durante alguns anos, para então passar para outro tipo de equipamento, como o DC-10, em que executará o mesmo tipo de trabalho. Após cumprir um número de exigências e de acordo com a disponibilidade de vagas, esse co-piloto será preparado para o comando de uma aeronave, sendo então designado para o 737-200 ou 737-300. A partir daí, a ascensão para outras aeronaves é feita ao longo de muitos anos — embora haja casos de pilotos que desenvolvem um profundo gosto por um tipo de avião em especial e permanecem nele muito mais tempo do que seria o normal. A maior concentração de comandantes e co-pilotos está, de longe, no Boeing 737-300, que hoje conta um total de 332 pilotos. Com uma média de idade de 37 anos para os comandantes e 31 para os co-pilotos, as tripulações técnicas do Boeing 737-300 cobrem todo o território nacional, dividindo praticamente todas as linhas domésticas com seus pares que operam com o Boeing 737-200. Entretanto, as qualidades do Boeing 737-300 determinaram que fosse esse o avião a substituir os lendários Lockheed Electra II que durante tantos anos realizaram a Ponte Aérea Rio-São Paulo. Geralmente realizando duas viagens de ida e outras duas de volta em cinco dias da semana, trabalhar na Ponte Aérea pode ser uma experiência extremamente gratificante para alguns, além de render uma inigualável aprendizagem para um novato. Ademais, com uma vida regida pela onipresente escala de vôo, a perspectiva de poder voltar todos os dias para casa oferece um benefício ímpar.

Por sua vez, voar nos Boeing 737-200 implica conhecer um Brasil que poucos brasileiros conhecem. Partindo do Rio de Janeiro ou de São Paulo, as tripulações técnicas dessas aeronaves as levam para destinos tão distantes como Cruzeiro do Sul, Carajás, Porto Velho, Rio Branco e Aracaju. Além dessa característica, os pilotos de Boeing 737-200 sabem que ainda compartilham um pouco daquele "gostinho" de realmente voar o avião, tal como era feito 20 ou mais anos atrás. Por ser um avião concebido no final da década de 60, o Boeing 737-200 ainda apresenta todas as características técnicas dos aviões daquela época, exigindo mais das habilidades de pilotagem do comandante do que um 737-300 e as gerações mais novas de aviões de transporte aéreo de passageiros. Essa faceta também pode ser notada entre as tripulações técnicas que voam o McDonnell-Douglas DC-10, o primeiro *widebody* da VARIG. Esses aviões porém estão longe de ser máquinas dotadas de equipamento básico. Uma tripulação técnica de DC-10 estará constantemente, no transcorrer de um vôo rotineiro, monitorando nada menos do que 138 instrumentos e 342 luzes de aviso e acionando mais de 350 chaves, além de contar com o apoio de sete computadores que facilitam enormemente o trabalho de levar uma aeronave como essa entre dois pontos a uma velocidade de cruzeiro de 908 km/h e a uma altitude de cerca de 10.000 metros.

Nas linhas internacionais, reserva dos comandantes mais experientes, cuja idade média oscila entre 44 e 53 anos, conforme o tipo de avião que operam, as principais aeronaves são os Boeing 747-300, Boeing 767-200/300, McDonnell-Douglas DC-10 e McDonnell-Douglas MD-11. Como qualquer outro tipo de avião, cada um deles possui características que os distinguem dos demais. No entanto, o Boeing 747-300 e o DC-10 apresentam uma particularidade que remonta à época dos Super Constellation — a presença de *flight engineers* (engenheiros de vôo), uma espécie hoje em franca extinção, responsável pelo gerenciamento do grupo e de numerosos sistemas tão variados como os que controlam combustível, eletricidade e aquecimento. O salto tecnológico dado pelo Super Constellation,

*Da cabine de um wide body um comandante sinaliza seu estado de espirito. Em geral, a maior parte dos pilotos e primeiro-oficiais chegam à empresa atraídos pela aventura de voar. Encontram um ambiente de profissionalismo que pouco a pouco lhes outorga uma personalidade típica da VARIG. O relacionamento da companhia com seus pilotos é de total confiança. Para a VARIG seus comandantes são os senhores da situação e sabem distinguir as melhores soluções para o constante bem estar e segurança de seus passageiros.*

com seus inúmeros e complexos sistemas, determinou a introdução do *flight engineer* a fim de aliviar a multiplicidade de encargos que recairiam sobre o comandante e o co-piloto. Foi no entanto um outro salto tecnológico que anunciou o fim desses profissionais altamente especializados — o emprego em larga escala de computadores, que tornaram redundante a presença do *flight*. Na VARIG, aqueles que lograram fazer a transição para co-piloto hoje exercem essa função, com alguns poucos já havendo alcançado a posição de comandante. No entanto, a VARIG ainda conta com 227 *flight engineers*, que estão atualmente voando no Boeing 727, McDonnell-Douglas DC-10 e Boeing 747-300; é neste último tipo que se concentra o maior número desses homens. Fadados à extinção daqui a alguns poucos anos, seu trabalho é amplamente reconhecido pelos demais membros de uma tripulação que opera em aeronaves sem os recursos tecnológicos presentes nessa última geração de aviões de transporte. Sua ausência sem dúvida torna o vôo muito mais difícil.

Houve uma época em que se dizia, maldosamente, que qualquer menino gaúcho crescia sonhando com o dia em que seria um cavalo ou um avião da VARIG. É fato que os gaúchos guardam um enorme orgulho pela empresa e que muitos de seus filhos, seduzidos pelo sonho de voar, acabaram ingressando na VARIG. Houve casos de pilotos que custearam o seu próprio treinamento durante anos, foram admitidos em outras empresas de transporte aéreo e pouco tempo depois trocaram o emprego por uma vaga de co-piloto na VARIG — mesmo recebendo um salário substancialmente mais baixo. Algum tempo atrás, o quadro de pilotos da VARIG era dominado por gaúchos — situação que se estendia para toda a empresa. No entanto, nos últimos 20 anos ou mais, com a VARIG se tornando a principal companhia de transporte aéreo do país, as tripulações técnicas gradativamente assumiram cada vez mais a cara do Brasil. São gaúchos, nordestinos, cariocas... enfim, homens e mulheres que vieram de praticamente todas as partes do Brasil para concretizar um sonho e compartilhar de outro.

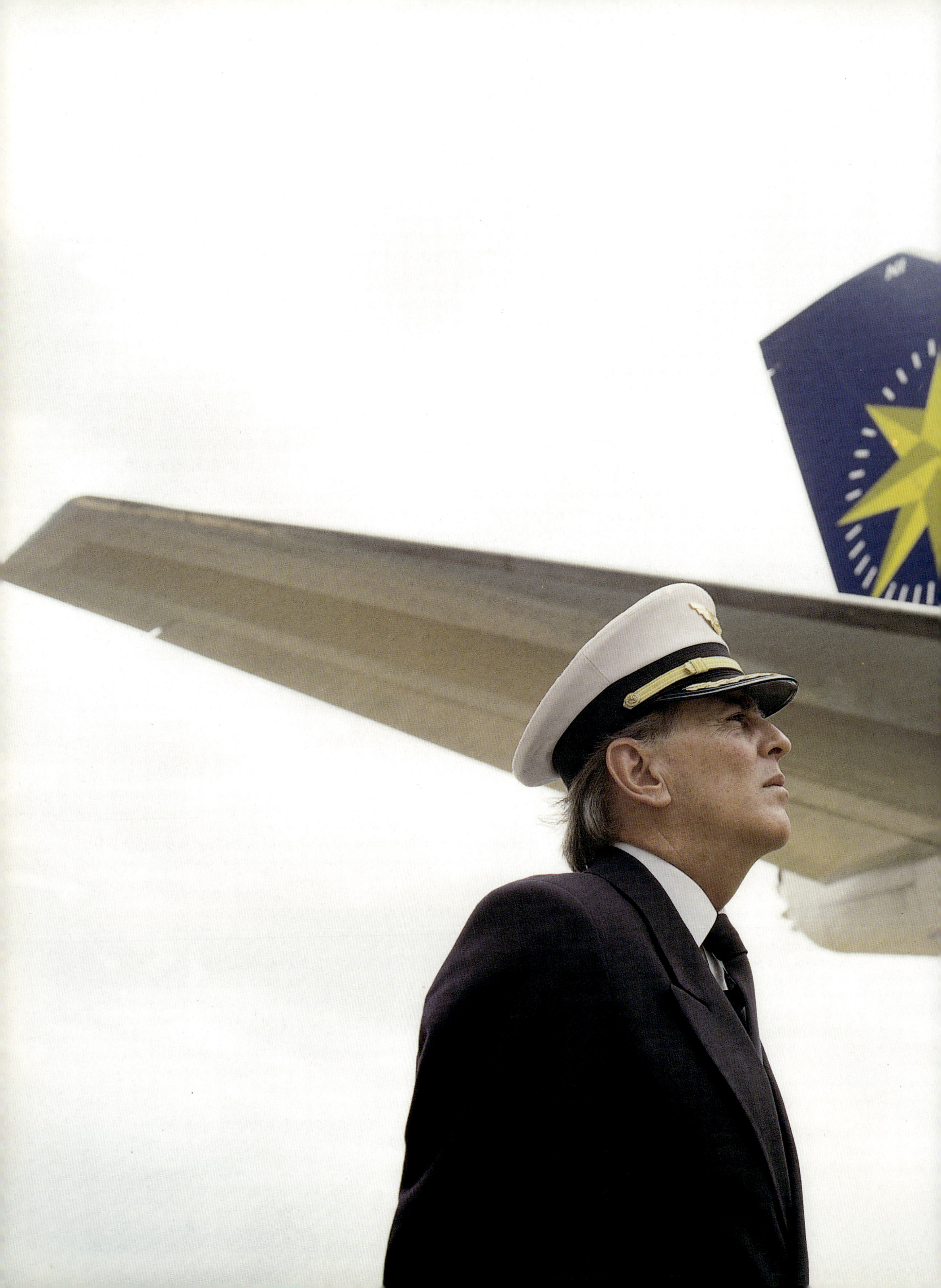

*Após anos voando para os mais variados destinos, os comandantes da VARIG finalmente atingem o ápice de suas carreiras operacionais quando chegam ao Boeing 747. Contando com um número impressionante de horas de vôo, esses homens estão entre os pilotos mais voados da aviação brasileira.*

*As tripulações da VARIG são um fiel espelho da multiplicidade étnica brasileira. Pilotos, co-pilotos e atendentes de bordo vêm dos quatro cantos do país para ingressar na companhia. Um gaúcho de origem nissei representa essa maravilhosa diversidade de origens que enriquece a companhia. Operando na Ponte Aérea Rio/São Paulo, ele disfruta das noites em casa o que vez por outra proporciona um tranqüilo jantar fora com a esposa.*

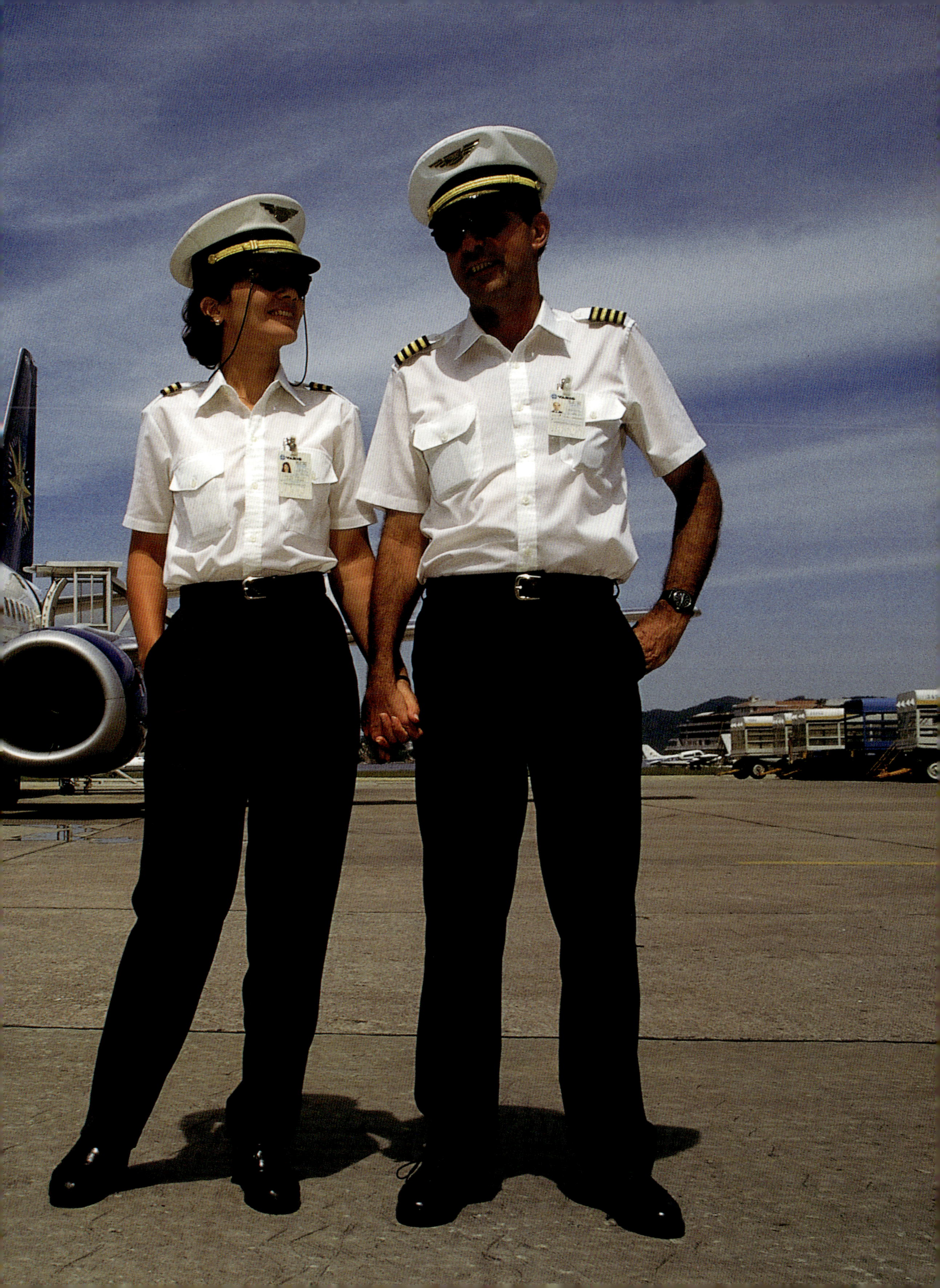

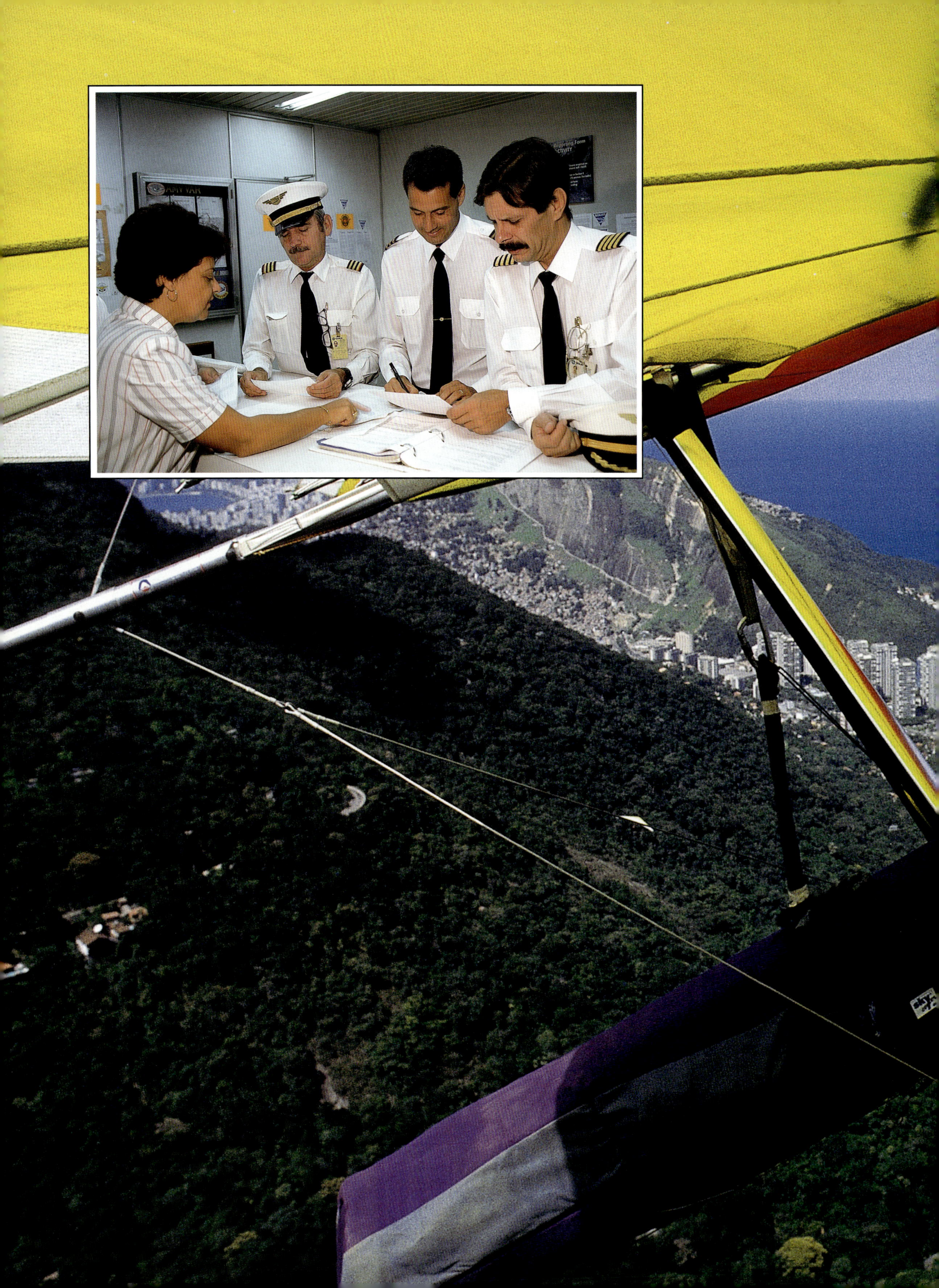

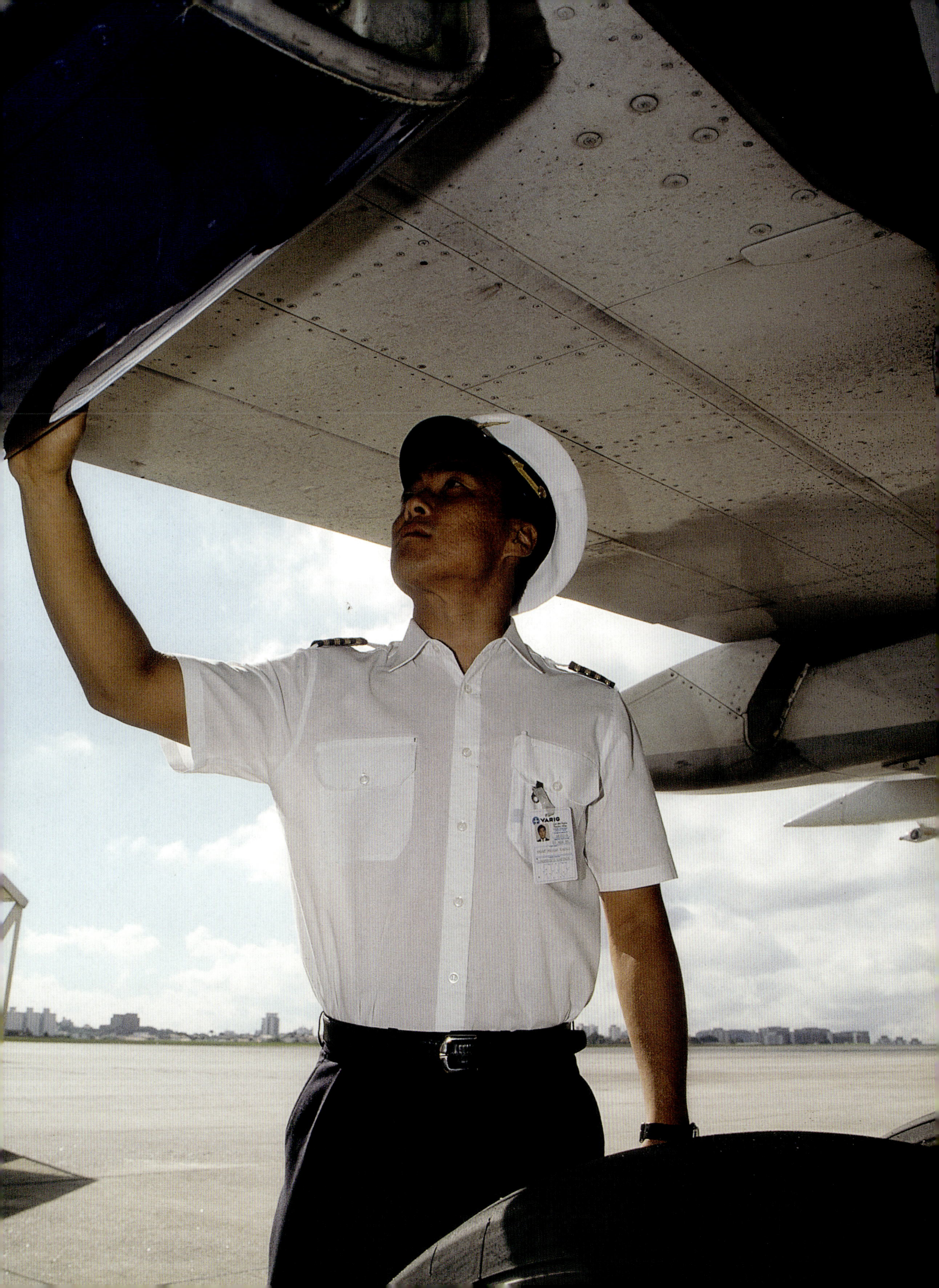
VARIG

*A mulher na aviação não é um fenômeno recente. Mas, até bem pouco tempo atrás, não eram muitas as que exerciam a profissão dentro das grandes empresas de transporte aéreo. A VARIG admitiu as primeiras mulheres no início da década, e hoje a companhia conta, em conseqüência, com a primeira tripulação técnica do Brasil formada por marido e mulher. Como ocorre entre os comissários e comissárias casados entre si, esse casal voa quase sempre junto nos Boeing 737-300 que decolam do Santos Dumont e Congonhas na Ponte Aérea Rio-São Paulo.*

*Apesar das vantagens profissionais e da estabilidade financeira oferecida pela companhia, na verdade o que une a grande maioria dos pilotos e co-pilotos da VARIG é a paixão pelo vôo. Esse primeiro oficial de DC-10-30 voa ao redor do mundo toda à semana, somente para voltar a voar, ao sabor dos ventos e das térmicas, sobre os encantos do Rio de Janeiro, quando volta para casa para descansar!*

# Prontos para a Decolagem
## A Varig em Ação

Excluindo aqueles que trabalham diretamente no meio, poucos são os que de fato conhecem todo o trabalho e o número de pessoas envolvidas para a realização de um vôo, independentemente do seu destino. Além daqueles que participam diretamente do evento, como tripulação técnica e tripulação de cabine, a realização de um único vôo pode exigir, indiretamente, a participação de milhares de pessoas. Afinal, são entre 1.500 e 1.600 vôos semanais da VARIG para 66 aeroportos diferentes.

A criação e incorporação de uma linha à rede de linhas domésticas e internacionais da VARIG é um processo laborioso que pode exigir muitos meses, e até anos, de intensa análise antes mesmo de sequer ser gerada. A fase de concepção se dá na Diretoria de Planejamento da VARIG, onde as tendências e a atual situação da indústria do transporte aéreo, as oportunidades que a VARIG tem dentro daquele ambiente e o próprio cenário econômico do país são exaustivamente estudados. Aspectos aparentemente sem muita relevância são incluídos, como questões ambientais, qualidade de vida do destino ora sob análise, e o impacto que a criação daquela linha terá sobre a rede — este último aspecto é uma questão de fundamental importância para a empresa. Outros fatores como a legislação que regulamenta a atividade aérea comercial e, no caso de uma linha internacional, acordos bilaterais assinados com o governo brasileiro e as limitações que eles delineiam são postos sob uma lupa. Essas e uma ampla gama de outras informações são reunidas para melhor analisar os vários mercados, identificar corretamente o público usuário e projetar o tráfego durante os anos vindouros. Quantificados os muitos fatores que determinam o sucesso de uma linha, a próxima etapa é estabelecer com precisão quais as ações necessárias dentro da VARIG para que uma proposta de linha saia do papel e seja efetivamente executada, tarefa que envolverá a participação de todas as diretorias da empresa. O tipo de avião mais adequado a ser empregado, o tipo e número de assentos a serem oferecidos, os serviços de apoio necessários — tudo é considerado. Essencialmente, é um trabalho com muitas das características de um jogo de xadrez, pois o bom jogador tem que estar vários lances à frente do jogo disposto no tabuleiro. Afinal, a criação de uma linha representa potencialmente um considerável investimento num mercado que não aceita erros de avaliação e análise.

Para o passageiro, o início de uma viagem pode começar com uma chamada telefônica para o seu agente de viagens ou então diretamente para uma das Centrais de Reservas da VARIG para marcar o vôo ou solicitar maiores informações. Localizadas em muitas das grandes capitais das regiões Sul, Sudeste, Norte e Nordeste do Brasil, as maiores naturalmente se encontram em São Paulo e no Rio de Janeiro. Durante uma semana, elas recebem, em média, cerca de 168.000 ligações telefônicas. Além de executar reservas de vôos, outros serviços são prestados ao cliente como reserva de hotel, aluguel de automóveis e telefone celular. No Rio de Janeiro, a Central de Reservas chega a receber, na alta estação, quase 14.000 telefonemas por dia. Para atender esses clientes fixos e potenciais, a Central de Reservas dispõe de uma equipe de quase 300 pessoas que trabalham em três turnos ao longo de 24 horas, diante de um terminal de computador. A maioria é de universitários que recebem um mês de treinamento e começam a trabalhar sob a tutela de um supervisor por mais outro mês. Apesar de parecer um trabalho temporário aos olhos de alguns, praticamente 80% dessas pessoas permanecerão na VARIG, e muitas vão para as diversas diretorias da empresa.

Comprada a passagem, a única preocupação do passageiro agora será fazer as malas e chegar ao aeroporto na hora certa. No entanto, para a VARIG, isso representa a concretização de uma ampla série de providências e medidas. Algumas

*Para fazer decolar uma aeronave como o Boeing 747-300, com suas mais de 375 toneladas e seus 399 passageiros, a VARIG coloca em funcionamento um aparato de milhares de pessoas para assegurar que todo o vôo transcorra de forma tranqüila e agradável para o passageiro.*

*Um dos muitos rostos de uma equação invisível. As muitas centrais de reservas da VARIG espalhadas pelo Brasil são guarnecidas por jovens universitários que fornecem ao cliente uma multiplicidade de informações e serviços que facilitam enormemente suas viagens.*

delas têm lugar na Diretoria de Manutenção, que se encarrega de deixar a aeronave pronta para o próximo vôo. Sob a sua responsabilidade, a aeronave sofrerá uma série de serviços durante as poucas horas, em alguns casos minutos, em que estiver sob a sua guarda. Equipes de limpeza tomam conta do interior do avião, preparando e reabastecendo os lavatórios, limpando toda a cabine de passageiros e recolhendo qualquer lixo na aeronave. Paralelamente, uma equipe de manutenção também ingressa na aeronave, mas com a incumbência de verificar o correto funcionamento de itens como assentos, as instalações da *galley*, o equipamento dos lavatórios e coisas comuns como os telefones internos da aeronave — um Boeing 747-300 dispõe de uma central com 15 ramais. Em aviões maiores, essa mesma equipe também verificará o funcionamento dos sistemas de áudio e vídeo que está à disposição dos passageiros. Na cabine de comando, uma outra equipe irá testar e inspecionar praticamente todos os equipamentos, além de retificar qualquer problema que tenha se apresentado durante o vôo anterior. Do lado de fora da aeronave, outras equipes de manutenção também estarão realizando suas tarefas cumprindo uma diversidade de itens que vão desde verificar o estado dos pneus até abastecer o avião. Guardadas as proporções entre as duas máquinas, toda essa atividade lembra o *pit-stop* de um carro de Formula-

*O apoio ao passageiro da VARIG começa antes mesmo do check-in no aeroporto de embarque.*

1, pois as diversas equipes sabem que dispõem de uma quantidade de tempo determinada para deixar a aeronave pronta para o próximo vôo. No entanto, se o supervisor das diversas equipes de manutenção não estiver satisfeito com o estado de algum item, ele não hesitará em reter a aeronave. Sua palavra é final, e ele só liberará o avião quando tiver a certeza de que todos os problemas foram satisfatoriamente sanados. Quando por vezes um vôo da VARIG sai com atraso, é quase certo que o avião ficou retido pela manutenção- afinal, a principal consideração é a segurança do passageiro.

Paralelamente a todo o trabalho realizado pelas equipes de manutenção, a Diretoria de Logística Operacional da VARIG entra em cena para levar a cabo uma série de medidas que visam ao conforto e bem-estar do passageiro. Basicamente atuando nas áreas que correspondem aos serviços de abastecimento da aeronave e atendimento ao passageiro no aeroporto, essa diretoria conta com uma enorme infra-estrutura, composta de cerca de 2.100 pessoas, dispersadas em todos os aeroportos em que a VARIG opera. Na área de abastecimento do avião, a principal atividade é justamente aquela que é a mais visível para o passageiro — alimentação e conforto. A VARIG depende de 491 companhias prestadoras de serviços, das quais 65 são fornecedoras nacionais e internacionais de refeições, 31 são fornecedoras de serviços de limpeza espalhadas pelo Brasil e no exterior, e 53 empresas de lavanderia brasileiras e estrangeiras — um vasto trabalho de coordenação e planejamento. No mundo inteiro, a VARIG embarca diariamente em seus aviões nada menos que 37.000 refeições, distintas entre si, pois estão divididas de acordo com a classe. No entanto, a complexidade em abastecer diariamente todas as aeronaves da VARIG com essa enorme quantidade de refei-

*Imediatamente após a parada de um jato da VARIG em qualquer aeroporto do mundo, inicia-se uma verdadeira corrida contra o relógio para preparar a aeronave para o vôo seguinte. Equipes de manutenção e do* catering *convergem rapidamente para o avião para realizar um leque de tarefas. Abastecer a aeronave de combustível, executar a inspeção de trânsito, limpar a cabine e estocar a* galley *com refeições e bebidas estão entre as funções realizadas em menos de 30 minutos.*

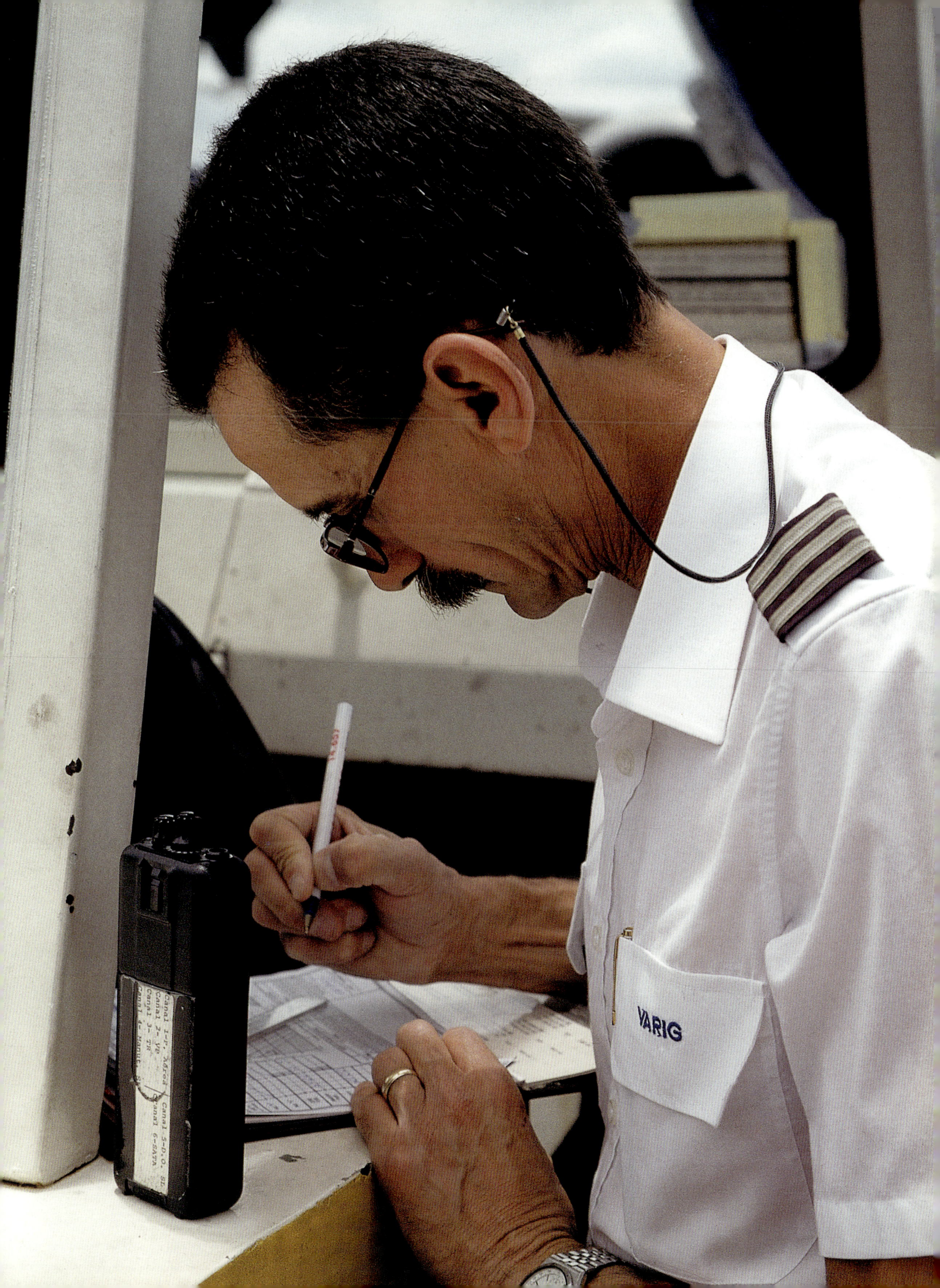
VARIG

*Quando se pensa em VARIG, normalmente vem à mente a imagem do comandante ou dos comissários de bordo. No entanto, a companhia é composta de uma verdadeira legião de profissionais que garantem o perfeito funcionamento de cada setor da empresa e, ao passageiro, eficiência e conforto em sua viagem desde o momento em que decide viajar.*

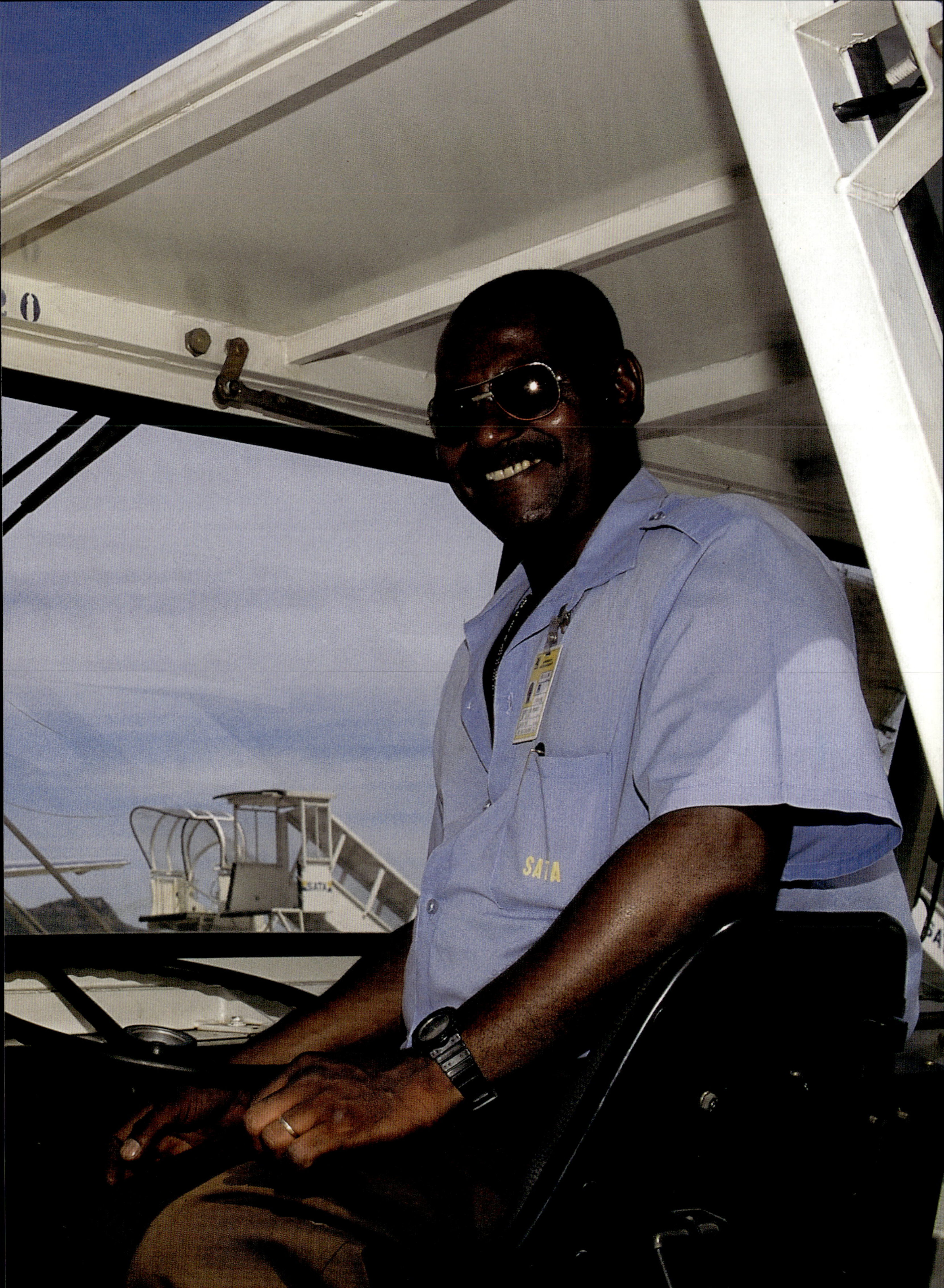
SATA

*Quando uma aeronave se prepara para partir ou estaciona no portão após um vôo, poucos passageiros notam que um bem-coreografado balé começa a ocorrer à volta do avião. Realizado dia após dia nos quatro cantos do mundo pelas equipes de terra VARIG, o impecável serviço às aeronaves que operam em suas bases é uma questão de honra para as experientes equipes de apoio.*

ções vai um pouco além do que se supõe. Num mesmo dia, o jantar da Classe Executiva servido na linha Rio/Nova York não é igual ao da Classe Executiva servido na linha São Paulo/Frankfurt, que por sua vez tem um cardápio diferente daquele servido na mesma classe no vôo Frankfurt/São Paulo. Esse agente complicador na equação do serviço de bordo só está presente para beneficiar o passageiro, que desfruta de um prato típico do aeroporto de partida. Além disso, semanalmente o cardápio de todos os vôos é modificado. Assim, mesmo o usuário freqüente da VARIG dificilmente encontrará o mesmo prato ao longo de um mês. E a elaboração desses cardápios é feita através da contratação de conhecidos chefs. Há também um elaborado planejamento que determina quantos e quais tipos de refeições devem ser embarcados para cada vôo. Enquanto outros trabalhos podem ser feitos com extrema precisão, essa etapa lida com números imprecisos, pois muitas reservas não são concretizadas — um hábito oneroso que dificulta qualquer planejamento. Ciente disso, a VARIG prefere pecar pelo excesso e, munida de todas as informações sobre o vôo e após a chegada da aeronave ao finger, começam os trabalhos de abastecer o avião com os carrinhos que contêm as refeições, carrinhos de bebidas, jornais, revistas e *necessaires*, travesseiros, mantas e todos os outro materiais que irão embarcados no vôo com a finalidade de tornar a viagem do passageiro o mais agradável possível.

Cerca de 90 minutos antes da decolagem da aeronave, aproximadamente na hora em que o passageiro já deve estar iniciando o seu deslocamento para o aeroporto, toda a tripulação técnica e de cabine do avião já terá chegado ao aeroporto — o que por si só é tarefa de enorme complexidade. Com 1.310 comandantes e co-pilotos, 227 engenheiros de vôo e 3.313 comissários, a VARIG, quando confecciona a escala de vôo, precisa levar em conta as diferentes qualificações de sua equipe. Além disso, suas atividades são regulamentadas e, entre outras restrições, o número de horas de vôo que o aeronauta pode executar no espaço de um dia, semana, mês e ano, é

89

*Dois momentos do* catering *VARIG. À esquerda, flagrante da cozinha da companhia em 1954, durante a preparação das famosas caixas de lanche destinadas ao serviço de bordo dos vôos da empresa. Naquele ano, 245.750 dessas caixas foram servidas aos passageiros.*

limitado. Assim, a seção responsável pela escala de vôo na Diretoria de Operações está constantemente executando verdadeiros malabarismos. Não basta escalar um comandante, um co-piloto, um engenheiro de vôo e o número necessário de comissários e comissárias para a realização de um determinado vôo. A primeira consideração é a habilitação técnica dessas pessoas. Um comandante de Boeing 737-300 não está habilitado a comandar um McDonnell-Douglas MD-11, da mesma forma que uma comissária qualificada para o Boeing 767-200/300 não pode fazer parte de uma tripulação de cabine de Boeing 747-300. Outro fator é a disponibilidade da pessoa, pois ela pode ter completado um vôo de um determinado número de horas de duração e estar impedida por lei de participar de outro sem que haja decorrido o número de horas de descanso. Outros itens são levados em conta nessa grande equação, que é feita com um mês de antecedência, tais como os dias que a pessoa estará pernoitando fora da base e os períodos de folga regulamentar. Com tantas possibilidades de erro, o sistema funciona surpreendentemente bem. Assim, faltando quase uma hora e meia para o vôo, os tripulantes de cabine e a tripulação técnica já se apresentaram à sala da Diretoria de Operações localizada no aeroporto, assinaram uma folha e voltaram sua atenção para cumprir todos os preparativos necessários nas respectivas áreas. Para a tripulação técnica, é um verdadeiro ritual: preencher um plano de vôo, examinar os últimos boletins meteorológicos da rota a ser percorrida e aqueles referentes ao aeroporto de destino, exe-

*Hoje, a VARIG distribui anualmente a bordo de seus vôos mais de 13,5 milhões de refeições, cada uma preparada por cozinheiros de padrão internacional e supervisionadas por nutricionistas qualificados.*

cutar um briefing e examinar detidamente todas as notificações referentes ao aeroporto de partida e de destino a fim de determinar quaisquer restrições que possam incidir na operação da aeronave — isso tudo antes mesmo de entrar no avião. Cerca de 20 ou 30 minutos antes do embarque dos passageiros, toda a tripulação se dirige para a sua aeronave. Ali, a tripulação técnica receberá o avião da equipe de manutenção, para então dar início aos procedimentos que ocorrem antes de todo vôo, enquanto a tripulação de cabine trata de deixar a área pronta para que os passageiros embarquem.

Ao chegar ao aeroporto, o passageiro se apresenta ao balcão da VARIG para realizar o check-in, mostrando identidade, bilhete de passagem e a bagagem que porventura esteja levando consigo. Recebido pelo atendente do balcão com a simpatia característica da VARIG, todo um aparato já está posicionado para tornar o mais tranqüilo possível a sua passagem pelas instalações do aeroporto. Após a emissão do cartão de embarque e a entrega da bagagem, diversas informações são repassadas para os setores respectivos. A bagagem passa por um processo de triagem e é rapidamente enviada para a aeronave onde embarcará seu proprietário. Nessa área, a VARIG possui um sistema muito eficiente, e goza de um dos mais baixos índices da indústria de transporte aéreo no que diz respeito a bagagem extraviada — o pesadelo de qualquer passageiro. Por outro lado, há os passageiros que necessitam de um tratamento diferenciado, como crianças e idosos. Através do seu Serviço de

*Os serviços postais da VARIG iniciados com o hidroavião* Atlântico *continuaram em franco desenvolvimento durante a década de 50, e a companhia fez uso de diversos tipos de veículos para a coleta das malas do correio e encomendas expressas. A Carga Aérea já é uma tradição na VARIG.*

Atendimento Especial, a VARIG presta uma multiplicidade de serviços àqueles que necessitam de algum tipo de assistência ou apoio durante a sua permanência no aeroporto. Um exemplo é o caso de crianças que viajam desacompanhadas, e são muitas — especialmente na Ponte Aérea Rio-São Paulo nos fins de semana —, e que precisam ser supervisionadas para que embarquem no vôo certo e sejam entregues diretamente aos responsáveis quando chegarem ao destino.

Apesar do excepcional planejamento para a execução de cada vôo, o imponderável acontece. Para "driblar" os imprevistos, a VARIG montou o Centro de Controle de Operações — uma outra área subordinada à Diretoria de Logística Operacional. Reunindo elementos de cada uma das diretorias da empresa em um só local, o CCO funciona 24 horas por dia durante os sete dias da semana, resolvendo os mais diversos tipos de problemas. No CCO, lidam-se com enormes volumes de informações, tendo como referência básica um plano diário da malha de linhas da VARIG, que é apresentado pela Diretoria de Planejamento com 72 horas de antecedência. Um trabalho conjunto da Diretoria Comercial e da Diretoria de Marketing da VARIG, esse plano especifica para onde vão os diversos vôos de um determinado dia, quais os tipos de aviões que a serem utilizados e os horários de pouso e decolagem. Na realidade, é o CCO que viabiliza a execução dessa malha definida pela Diretoria de Planejamento, ajustando-a quando necessário. Assim, o CCO sabe exatamente onde está cada aeronave da VARIG, esteja ela em vôo ou no solo — tarefa nada fácil quando se considera que a VARIG realiza, em média, 212 vôos por dia. De igual forma, o CCO está perfeitamente inteirado e é sempre alimentado com informações, tratando de retificar quaisquer desvios que ocorram no plano da malha de linhas para aquele dia. Quando algum vôo está sujeito a um atraso, seja por condições meteorológicas no aeroporto de saída ou de destino que impedem o pouso ou a decolagem ou por dificuldade técnica na aeronave ou falta de um tripulante, cabe ao CCO tomar as providências necessárias para reduzir ou eliminar o atraso. Não são raras as ocasiões em que o CCO determinou o fretamento de um jatinho executivo para transportar uma peça e pessoal de manutenção até um Boeing 737-300 ou McDonnell-Douglas MD-11 que apresentou uma pane longe de um centro de manutenção da VARIG. Isso simplesmente para liberar com rapidez a aeronave e evitar um efeito cascata de atrasos. Sob uma certa ótica, o CCO passou a exercer a função de sistema nevrálgico da VARIG, recebendo constantemente inputs de informação oriundos de várias partes e emitindo ordens para vários setores a fim de que diariamente a malha de vôos seja executada com o mínimo de perturbações e o máximo de segurança e tranquilidade para o passageiro.

De envergadura ampla e complexo em detalhes, o planejamento que cerca cada vôo da VARIG, doméstico ou internacional, é um verdadeiro exemplo de trabalho em conjunto. Com literalmente centenas de coisas convergindo velozmente para a realização de um evento, a execução de cada vôo é um espelho da excepcional qualidade profissional de cada funcionário da VARIG, característica que tem acompanhado a empresa por muitas décadas, desde a sua criação.

*Durante os anos 50, a VARIG decidiu colocar em operação aviões configurados exclusivamente para o transporte de carga. Esse serviço cresceu progressivamente, com a aceitação positiva do usuário. Naquela época, cada vez mais utilizava-se essa facilidade para enviar, entre outras cargas, malotes do correio, jornais e bens perecíveis que antes do avião não podiam ser transportados eficientemente.*

*Ligando principalmente o Brasil com a Europa e os Estados Unidos, os vôos cargueiros da VARIG utilizam aviões Boeing 727-100 e McDonnell-Douglas DC-10. Apesar de toda a frota da VARIG realizar o transporte regular de malotes postais e volumes para todas as localidades servidas pela empresa, esses dois trirreatores é que transportam a maior parte da carga operada pela VARIG, e que pode incluir desde animais vivos até carros de Fórmula-1.*

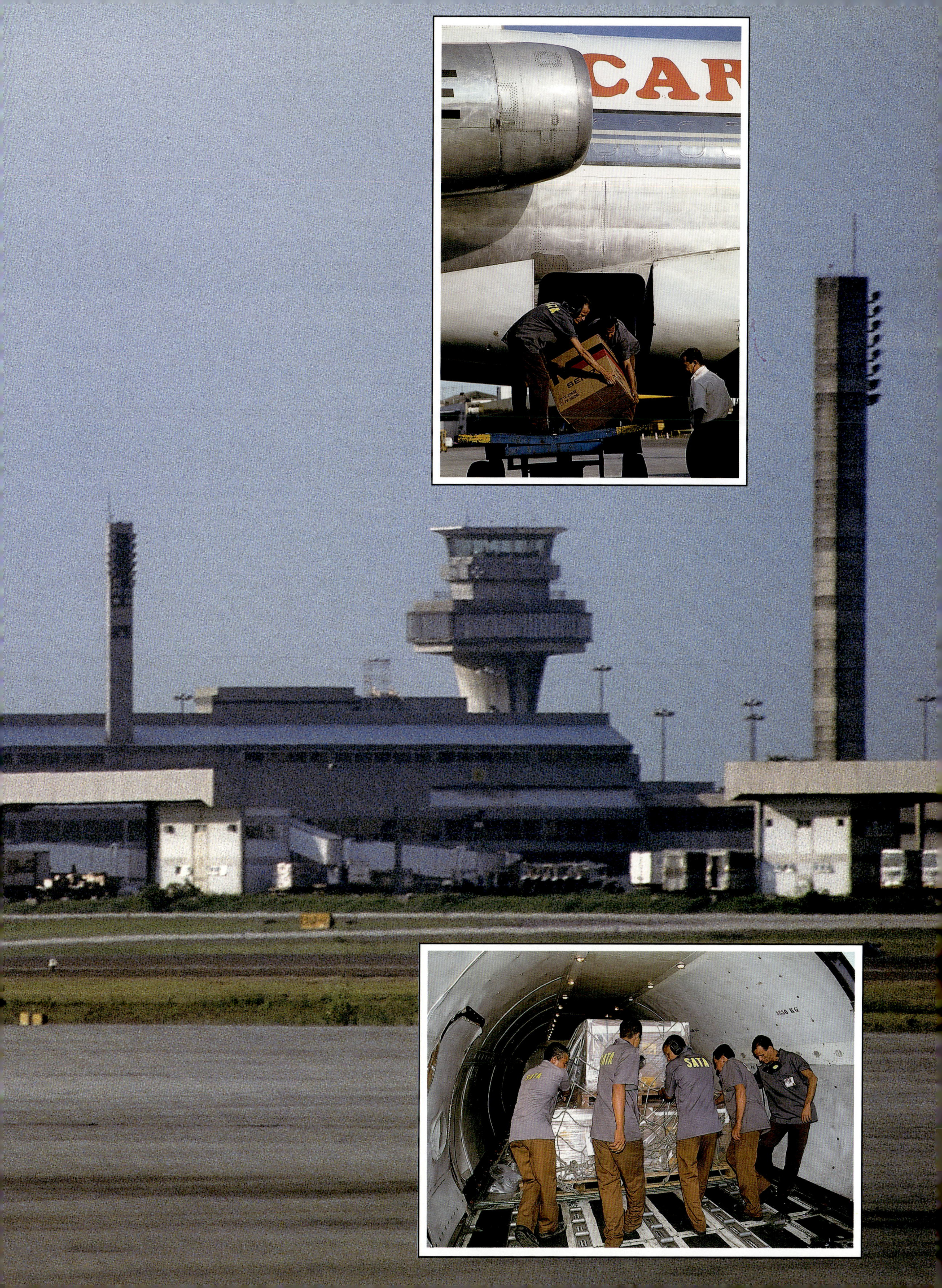
SATA

# Embaixadores dos Ares
## Comissários de Bordo

O primeiro comissário/comissária a voar regularmente em uma empresa de transporte aéreo comercial foi a enfermeira norte-americana Ellen Church, contratada pela Boeing Air Transport (posteriormente absorvida pela United Airlines) em maio de 1930. No Brasil, o conceito de comissário de vôo — ou aeromoço, na terminologia da época - tardou um pouco a ser adotado, cabendo à Panair do Brasil, na época uma subsidiária da Pan American Airways, introduzi-lo.

Na VARIG, a introdução de aeromoços demorou algum tempo. Até 1945, os aviões utilizados por essa companhia de transporte aéreo não dispunham de um assento específico para um comissário e tampouco possuíam algo remotamente parecido com uma *galley*. Sacrificar um assento destinado ao passageiro seria um procedimento economicamente improdutivo, e, ademais, as viagens nas distintas linhas da VARIG na década de 30 e primeira metade do decênio seguinte eram bastante curtas, não justificando a adição de mais um membro à tripulação. Todo o serviço de bordo era feito pelos pilotos ou rádio operadores, que distribuíam café, água, sanduíches e até chimarrão, durante o intervalo em suas funções. A chegada dos primeiros aeromoços da VARIG só se deu quando da aquisição e recebimento dos seus primeiros quatro Douglas C-47B, em dezembro de 1945. Inicialmente configurados para o transporte de 21 passageiros e equipados com uma modesta *galley*, esses C-47B permitiriam à VARIG ultrapassar os limites do estado do Rio Grande do Sul e alcançar os grandes centros do Sul e Sudeste do Brasil. Agora realizando para outros estados vôos cuja duração podia ultrapassar duas horas e contando com aeronaves que ofereciam as condições necessárias à incorporação de comissários de vôo, a VARIG recrutou dentro do próprio quadro de funcionários os seus primeiros aeromoços.

Tendo como única exigência a aprovação no exame médico realizado pela antiga Diretoria de Aviação Civil do Ministério da Aeronáutica, os critérios de seleção desses aeromoços eram extremamente singelos e em nada se assemelhavam aos que hoje são utilizados pela VARIG, mais de 50 anos após a realização dos seus primeiros vôos com a presença de comissários. Ao contrário do que ocorria em outras empresas de transporte aéreo brasileiras e estrangeiras, a VARIG se manteve obstinadamente contra a idéia de contratar mulheres para desempenharem o papel de aeromoças - conseqüência do extremo conservadorismo do então presidente da empresa, Ruben Berta. Assim, essa turma pioneira de comissários foi composta exclusivamente de homens, que não receberam qualquer treinamento específico para a função que iriam desempenhar — cabia a cada um utilizar o bom senso para executar o seu trabalho e seguir fielmente as instruções dadas pelo comandante. As atribuições desses primeiros comissários guardavam pouca semelhança com as responsabilidades da atual geração de comissários e comissárias, cujo papel na época era aliviar diversos encargos da tripulação técnica, além de zelar pelo conforto e segurança dos passageiros.

Apresentando-se no aeroporto bem antes dos demais membros da tripulação, os comissários daquela época executavam uma ampla gama de tarefas: peso e balanceamento da aeronave, distribuição da bagagem dentro dos porões de carga do avião e a documentação necessária para o vôo eram algumas das atribuições dos aeromoços daquela época - sem mencionar todos os trabalhos diretamente relacionados com o conforto do passageiro. Era um serviço difícil, em que os conhecimentos colhidos empiricamente eram repassados para as novas gerações através de conversas informais após o vôo. Logo no embarque, os aeromoços que compunham as tripulações dos Douglas C-47B e Curtiss C-46A distribuíam aos passageiros um chumaço de algodão e uma caixa de chiclete - o primeiro para atenu-

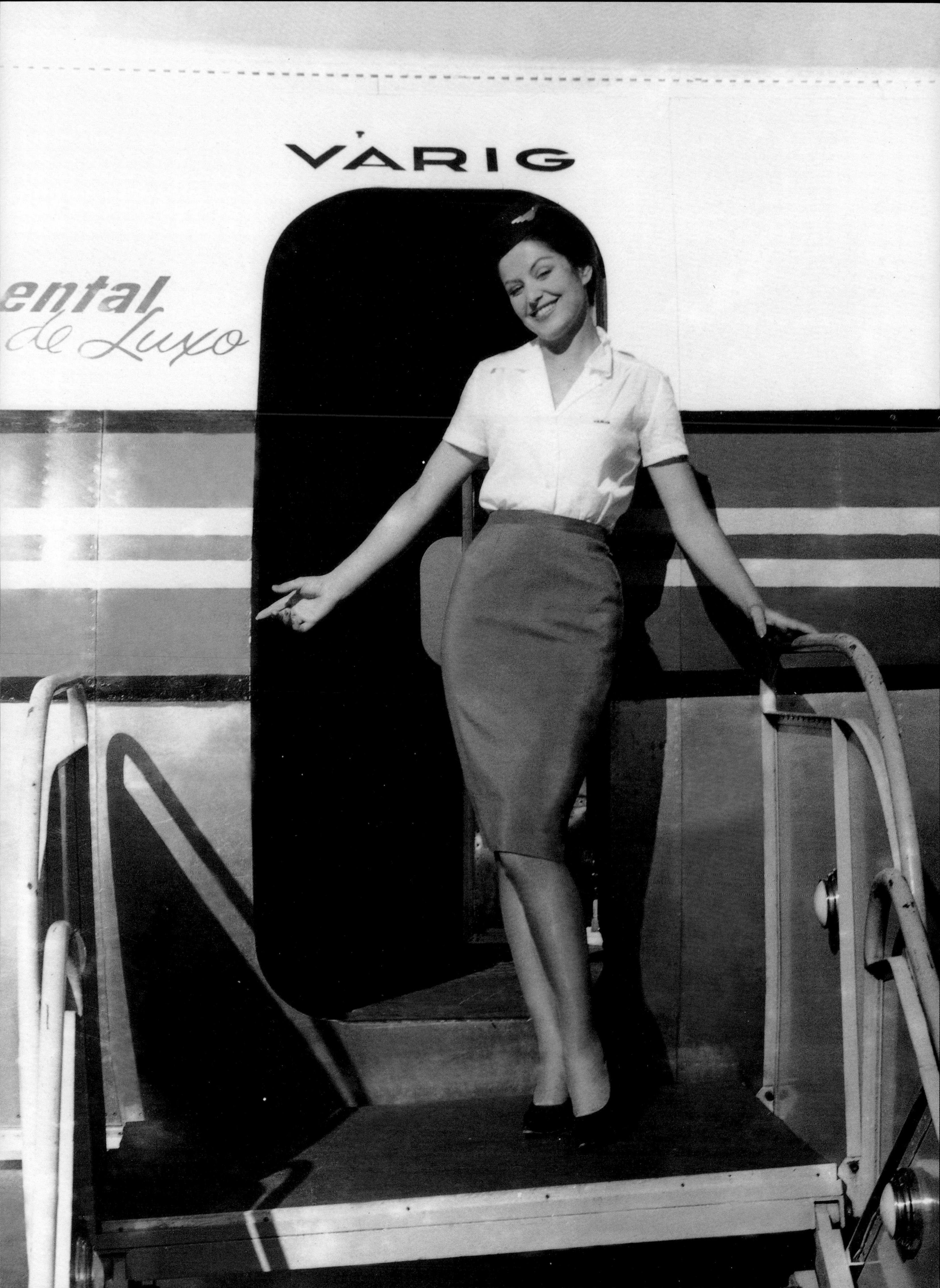

VARIG
ental
de Luxo

*O primeiro curso destinado especificamente ao treinamento dos tripulantes de cabine preparou homens e mulheres para uma variedade de tarefas. Esse curso ministrava aulas sobre assuntos tão diversos como enologia e primeiros socorros. O denominador comum entre todos era assegurar o bem-estar e o conforto do passageiro.*

ar o fantástico ruído produzido pelos motores daquelas aeronaves, e o segundo para remediar o inevitável desconforto resultante da diferença de pressão atmosférica que ocorria quando o avião ganhava altura. Como esses aviões não dispunham de uma *galley* capaz de esquentar comida — característica só introduzida com a chegada dos Lockheed L.1049G Constellation, em 1955 —, os comissários de vôo da VARIG daquela época estavam também encarregados da distribuição, para cada passageiro, de pequenas caixas de lanches, que se tornaram lendárias por sua excepcional qualidade. Existiam três tipos de caixas de lanche que eram colocadas a bordo de acordo com o vôo, mas que invariavelmente continham sanduíches, frutas, bolinhos, refrigerantes, caldo quente e bombons.

Como ocorreu com o restante da empresa, a introdução dos três primeiros Lockheed L.1049G Super Constellation também representou um divisor de águas para o núcleo de comissários de vôo e o próprio serviço de bordo da VARIG. Destinados à recém-concedida linha Rio/Nova York, os Super Constellation ofereciam uma ampla gama de inovações à aviação comercial brasileira. Além de introduzirem uma sofisticada *galley* capaz de esquentar um variado leque de refeições, os Lockheed L.1049G dispunham de oito camas tipo beliche e luxuosas poltronas que ofereciam um conforto somente encontrado em algumas poucas empresas de transporte aéreo norte-americanas e européias. Curiosamente, foi por causa da existência das camas-beliche que a presidência da VARIG relutantemente se curvou ao pragmatismo e decidiu recrutar mulheres para comporem o seu quadro de aeromoças e dotar os Super Constellation de equipes mistas de comissários e comissárias. Como se acreditava que muitos dos 66 passageiros nos vôos Rio/Nova York seriam mulheres e crianças, concluiu-se que seria mais conveniente que esses passageiros fossem atendidos por aeromoças em vez de comissários. No entanto, possivelmente um outro fator talvez tenha contribuído para essa mudança: as empresas estrangeiras que concorriam diretamente com a VARIG naquela linha tinham aeromoças.

Com esses e tantos outros recursos à disposição, a VARIG tratou de organizar um serviço de bordo à altura de suas expectativas para a linha Rio/Nova York, além de dar um esmerado treinamento especificamente aos comissários e

*Nos chamados anos dourados da aviação comercial, as tripulações invariavelmente almoçavam e jantavam juntas, brindando com um copetin os tripulantes de primeira viagem na linha.*

comissárias que iriam voar na mais nova linha internacional da VARIG. Essas providências se transformaram em um legado do Super Constellation às futuras gerações de comissários da VARIG. Na área do serviço de bordo, foram contratados os serviços do Barão Max von Stuckart, um austríaco que ganhou fama à frente do lendário restaurante carioca Vogue. Concentrando todas as suas habilidades nessa empreitada, o Barão von Stuckart não só deu nova organização às modestas instalações onde eram preparados os alimentos destinados ao serviço de bordo como proporcionou o necessário toque de requinte e sofisticação aos pratos servidos durante o vôo, e que em pouco tempo deram à VARIG a merecida fama de oferecer ao passageiro o melhor serviço de bordo entre todas as empresas de transporte aéreo do mundo. Contando com os melhores *maître* e *chef de cuisine* disponíveis no Brasil, inclusive um cozinheiro que servira à família imperial russa, o Barão von Stuckart assegurou para cada vôo de Super Constellation no trecho Rio-Nova York, um serviço de bordo que hoje seria diversos graus acima da primeira classe. Vestidos a caráter, esses *chefs* e *maîtres* acompanhavam cada vôo, preparando para os passageiros diversos tipos de pratos, desde faisão a lagosta à Thermidor, canapés frios e quentes,

*As tripulações de cabine são verdadeiros embaixadores dos ares. Na época do Super Constellation, essa característica dava à companhia uma aura de sofisticação.*

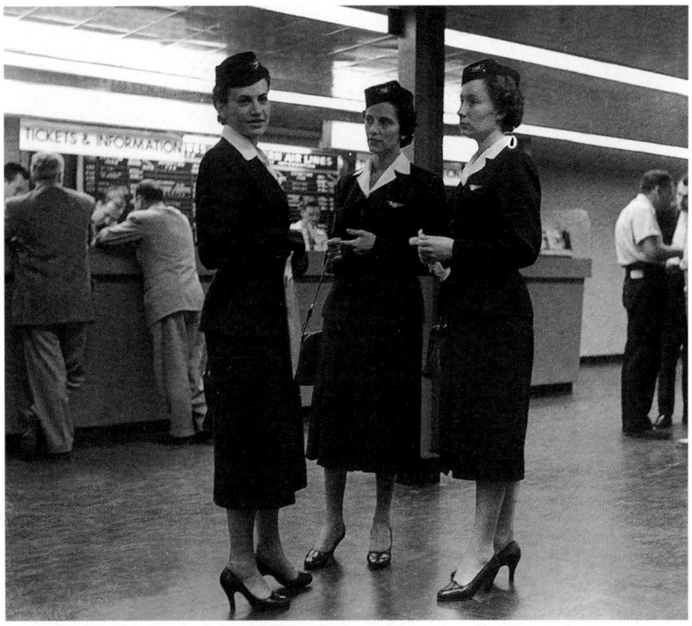
TICKETS & INFORMATION

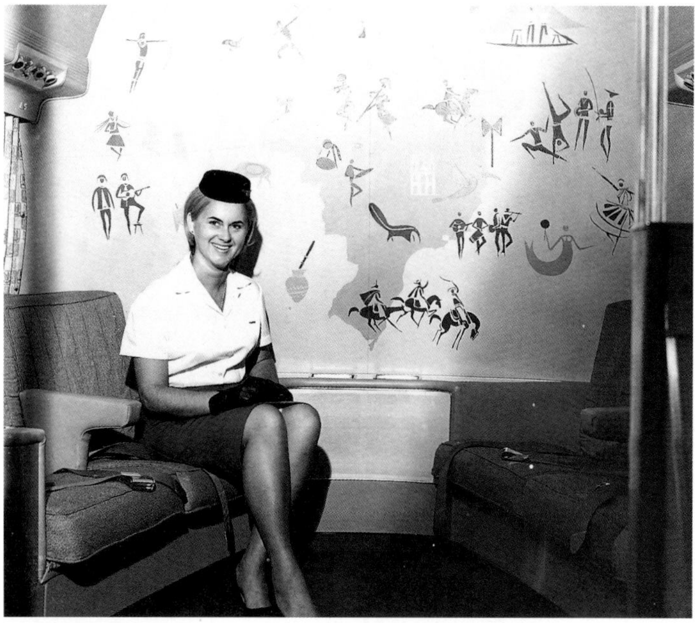

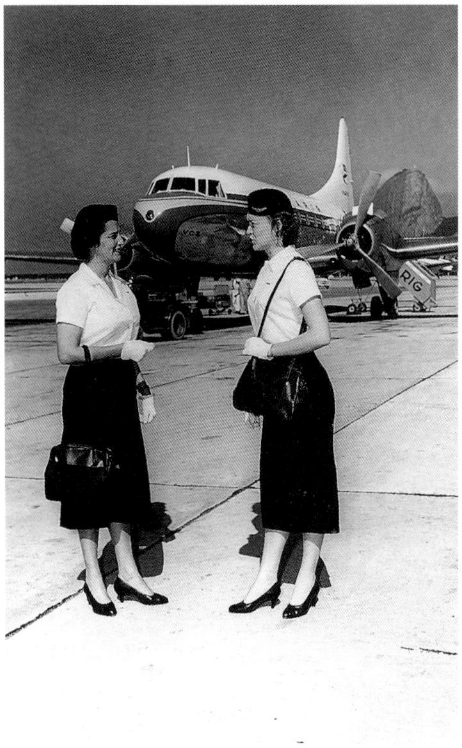

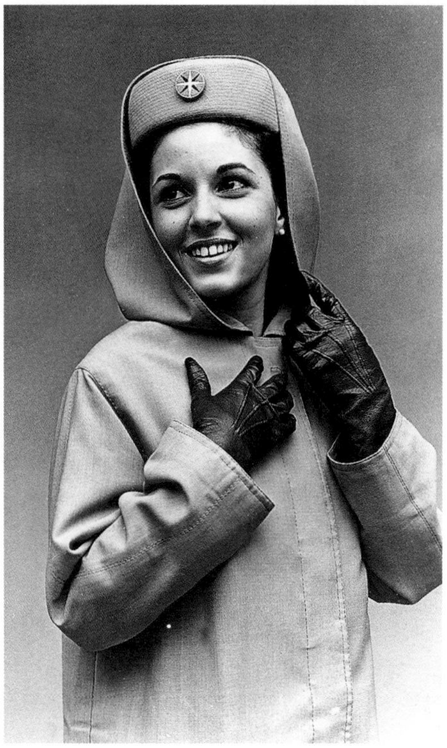

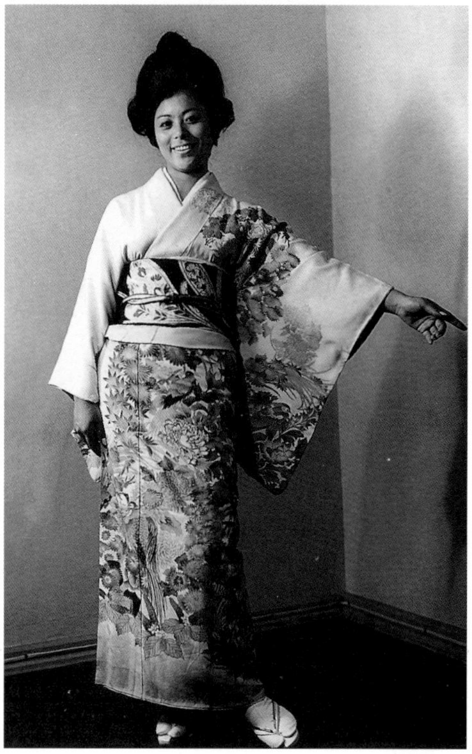

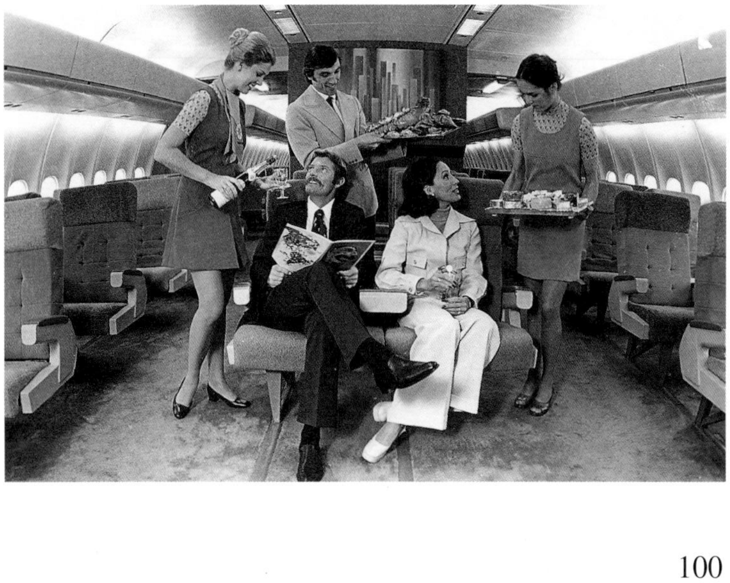

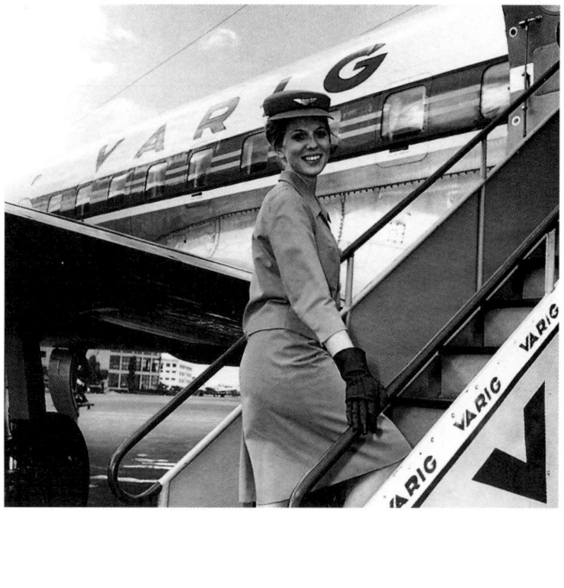
VARIG
VARIG
VARIG
VARIG

*As tripulações de cabine da VARIG sempre se destacaram pela elegância. No transcorrer dos anos a moda mudou. O que não mudou foi a elegância da mulher brasileira representada com classe ao redor do mundo pelas tripulações da VARIG.*

*hors d'oeuvres* frios e quentes, e omeletes feitas na hora - tudo servido pela tripulação de cabine em carrinhos muitas vezes enfeitados com esculturas de gelo. No entanto, tanta sofisticação, luxo e requinte tinham um preço - que muitas vezes recaía sobre os comissários e comissárias. Na realidade começando em Porto Alegre, o vôo Rio/Nova York demorava 26 horas para ser completado, e a cada escala, em São Paulo, Belém, Port of Spain e Ciudad Trujillo, era atribuição da tripulação de cabine lavar os pratos de porcelana, talheres, copos e taças utilizados durante a perna anterior. Muitas vezes, as dificuldades que ocorriam durante o vôo ganhavam matizes incôngruas e exigiam rápida solução por parte da tripulação de cabine. Era o que acontecia com o sorvete, por exemplo, que chegava ao avião de tal forma congelado que era necessário fazer uso do pequeno machado destinado para emergências a fim de acondicioná-lo na *galley*.

Quando chegaram os primeiros jatos da VARIG, os Sud Aviation SE 210 Caravelle I/III seguidos, pouco tempo depois, por uma trinca de Boeing 707-441, todo o serviço de bordo do Super Constellation foi transferido para essas duas aeronaves. No caso do Caravelle, essa tarefa foi muito dificultada pelas reduzidas dimensões da *galley* e do corredor, exigindo o máximo de habilidade da tripulação de cabine para manejar o serviço de bordo de forma adequada e sem tropeços. Contudo, o mais importante já havia sido feito na época dos Super Constellation na linha Rio/Nova York, que era a implantação de um extenso e detalhado treinamento para os tripulantes de cabine e a organização de toda a infra-estrutura necessária que conferisse à VARIG um serviço de bordo de Primeiro Mundo.

Hoje, a VARIG conta com pouco mais de 3.300 tripulantes de cabine, dos quais 1.840 são

*Os atendentes de bordo da companhia são solicitados a cada momento do vôo, seja para transformar a viagem de seus passageiros em momentos agradáveis seja para assegurar-se de que todos a bordo tiveram o cuidado e o carinho da companhia. Em comum, a todo momento, o sorriso estampado no rosto, uma característica bem brasileira.*

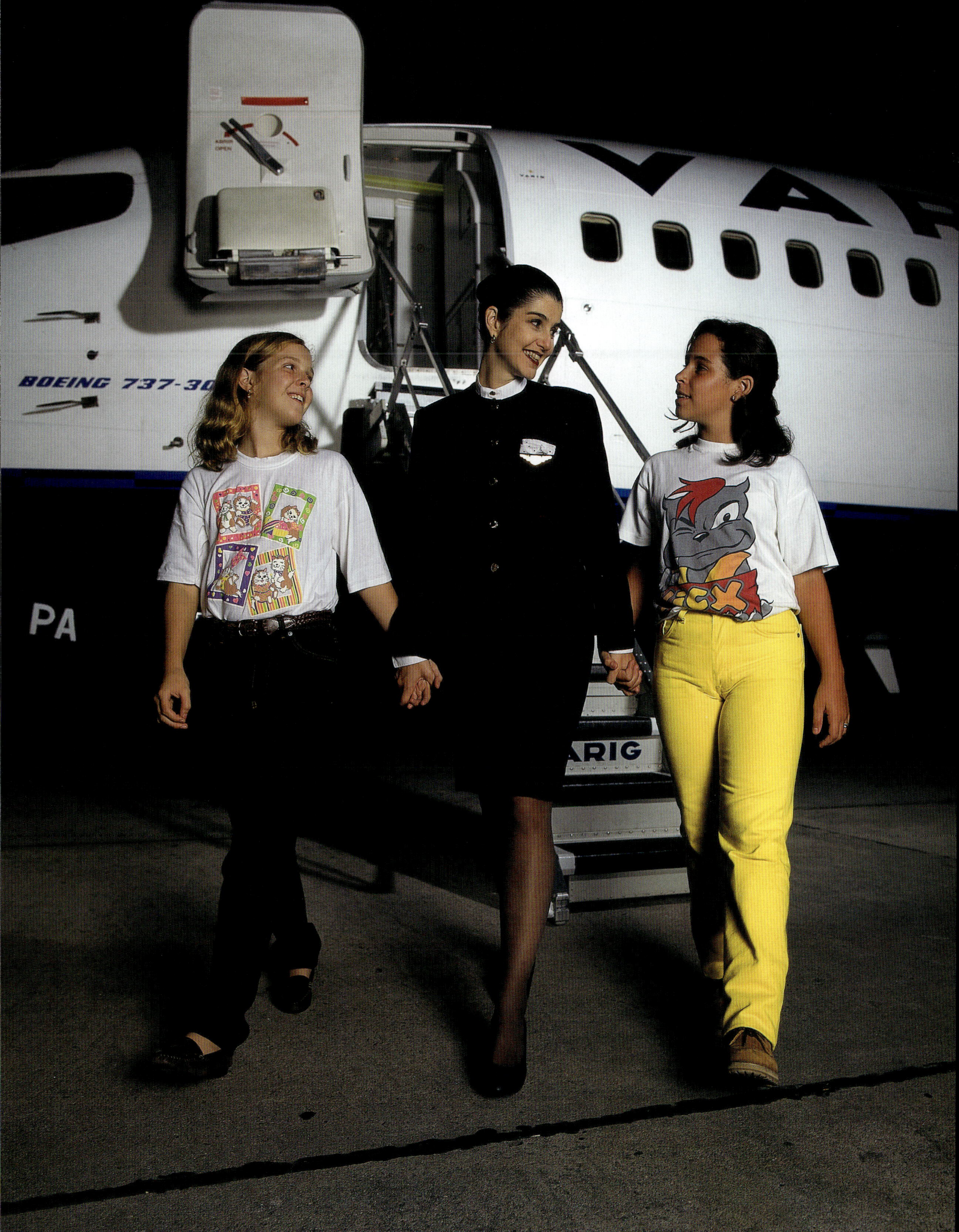
BOEING 737-30
PA
ARIG

*No Convair CV-240 da Ponte Aérea Rio-São Paulo, os passageiros eram recebidos ao pé da escada...*

comissárias. Genericamente denominados tripulantes de cabine, os comissários e comissárias da empresa estão distribuídos em três áreas distintas para um melhor rendimento operacional e que refletem sua especialização em cada tipo de equipamento. Estão distribuídos entre cidades como Porto Alegre, Rio de Janeiro e São Paulo, localidades conhecidas como Bases. Quase um terço desse efetivo está reunido no grupo Boeing 737-200/737-300, aviões que realizam as linhas domésticas da VARIG e algumas poucas internacionais. É justamente nesse equipamento que os novatos e novatas começam como comissários após concluírem um rigoroso programa de treinamento levado a cabo pela própria VARIG e que reflete muito dos ensinamentos colhidos pela empresa ao longo de muitos anos nessa área. Esse novo comissário ou comissária começará sua carreira como Auxiliar de Cabine, e, com o passar do tempo, exercerá a função de Chefe de Equipe de Boeing 737-200/300.

Após alguns anos voando nas linhas domésticas e com o devido treinamento, um comissário ou comissária será promovido para o grupo seguinte, atualmente composto por um outro tipo de avião, o Boeing 767-200/767-300. Guarne-

...passados quase 40 anos, o calor e a simpatia das tripulações de cabine da VARIG permanecem os mesmos.

cendo a cabine de passageiros desses aviões que executam vôos nas linhas domésticas de longa distância e internacionais entre o Brasil e diversos países das Américas e Península Ibérica, esse grupo é o menor existente na VARIG em vista das poucas aeronaves com que conta - hoje são seis Boeing 767-200 e quatro Boeing 767-300. Com poucas diferenças entre si, ao menos no que diz respeito aos equipamentos à disposição da tripulação de cabine, os dois tipos de Boeing 767 representam um salto substancial para os que vem do Boeing 737. No Boeing 767, o recém-promovido comissário trilhará o mesmo caminho percorrido no Boeing 737, mas com uma diferença. Ao encerrar seu período como Auxiliar de Cabine, ele assumirá durante algum tempo a função de Supervisor de Cabine, coordenando as atividades de um grupo de comissárias e comissários. Depois, esse comissário assumirá as funções de Chefe de Equipe, em que será responsável por toda uma tripulação de cabine.

Por fim, o terceiro grupo, o maior dos três, reunindo praticamente metade de todo o efetivo de comissários e comissárias da VARIG, na realidade abriga três tipos de aviões diferentes: Boeing 747-300, McDonnell-Douglas MD-11 e McDonnell-Douglas DC-10. No total, são hoje 18 aeronaves, que voam quase que exclusivamente nas linhas internacionais. Os integrantes desse grupo são pessoas com uma grande bagagem de experiência colhida ao longo de anos voando nos outros dois grupos, mas para o recém-chegado nesse grupo o caminho a ser percorrido será igual àquele feito em sua época de Boeing 767. Chegar a Chefe de Equipe no grupo DC-10/MD-11/747 representa o ápice da carreira de um comissário ou comissária, embora alguns poucos continuem voando como Chefes de Equipe nos outros grupos até se aposentar, simplesmente por uma questão de preferência pessoal.

Cada tipo de avião dispõe, em cada vôo, de um número exato de comissários e comissárias que realizam uma variedade de tarefas dentro da cabine de passageiros. Para exemplificar, o Boeing 737-200 e Boeing 737-300 conta com um Chefe de Equipe e três auxiliares, enquanto um Boeing 747-300 em sua versão *full pax* conta com um Chefe de Equipe, três Supervisores de Cabine para cada classe e 14 auxiliares distribuídos entre a Primeira Classe e as Classes Executiva e Econômica. Independentemente do tipo de aeronave, se ela estiver realizando um vôo doméstico ou internacional, o passageiro - até mesmo aquele que voa VARIG com grande regularidade - é levado a acreditar que a tripulação de cabine está ali para zelar somente por seu conforto. Mas é uma crença errada. A verdade é que a missão de qualquer tripulação de cabine da VARIG é, primeiramente, cuidar da segurança do passageiro, e, depois, do seu conforto. Treinados exaustivamente e periodicamente reciclados, qualquer tripulação de cabine está preparada para enfrentar uma ampla gama de situações que pode colocar em risco a segurança ou bem-estar do passageiro. A verdade no entanto é que voar é o meio de transporte mais seguro, e todo esse treinamento dificilmente será colocado em prática.

As tripulações de cabine da VARIG guardam muitas semelhanças com suas antecessoras, mas também possuem muitas diferenças. Como seus pares do passado, os comissários e comissárias de hoje têm sua vida regida pela onipresente es-

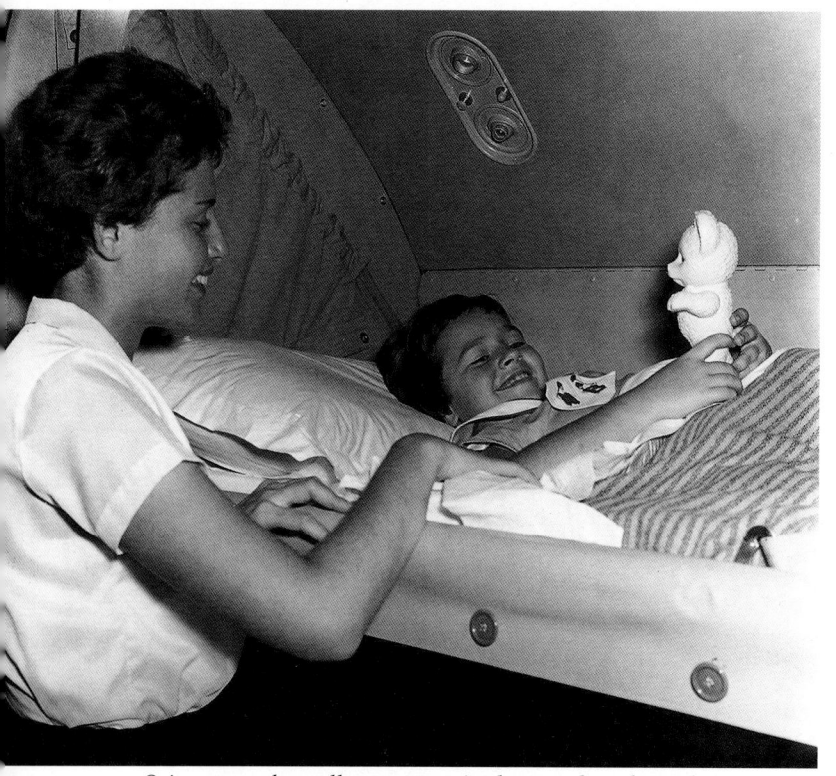

*O ingresso de mulheres nas tripulações de cabine da VARIG só ocorreu face da necessidade de atender passageiras e crianças que iriam viajar nos longos vôos dos Lockheed Super Constellation.*

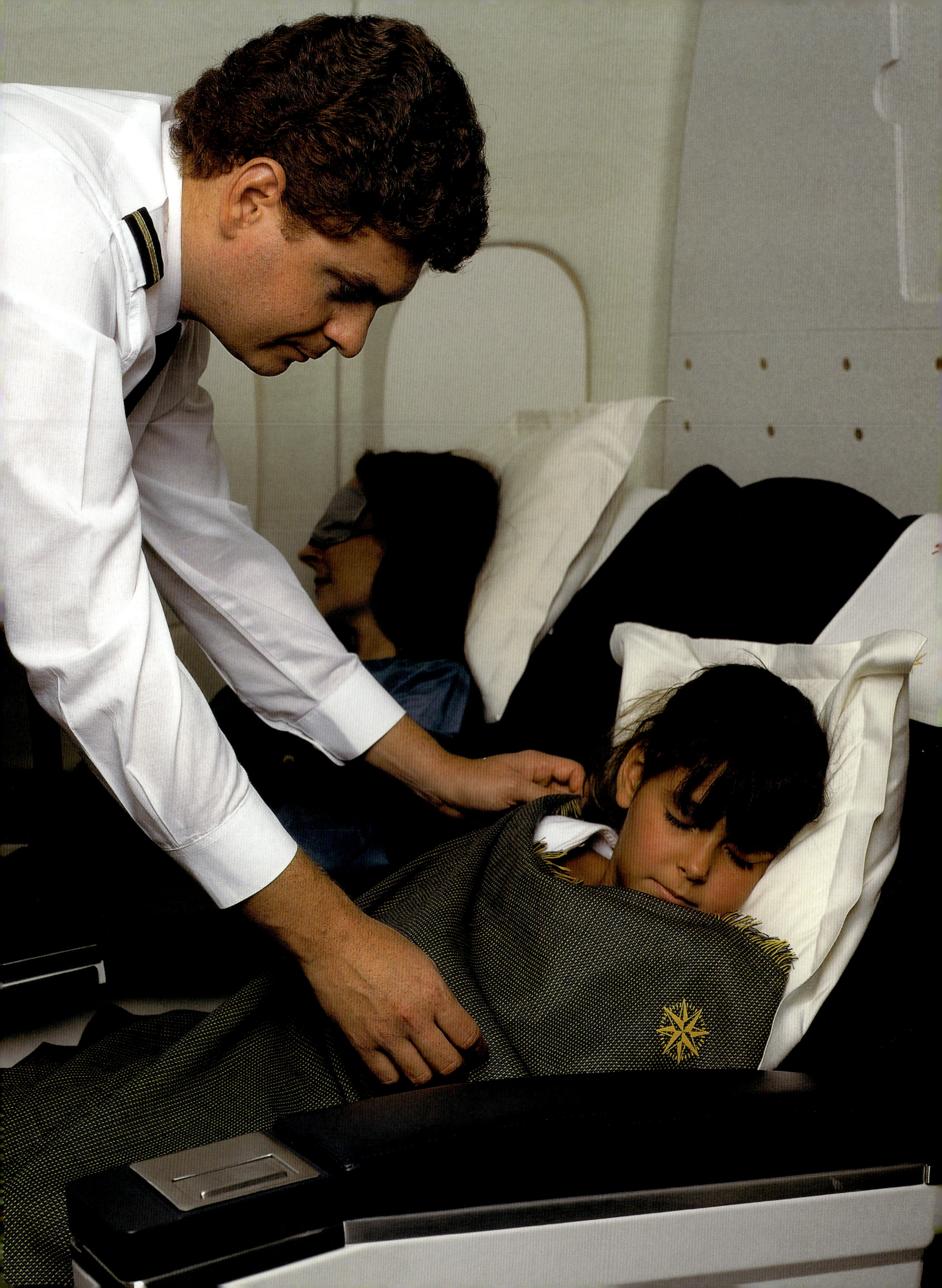

*Da mesma forma que os tripulantes de cabine dos Constellation da década de 50, os comissários e comissárias das linhas internacionais e domésticas de hoje possuem - entre outras atribuições - a responsabilidade de preparar, organizar e servir as refeições destinadas aos passageiros. Com o tempo, as aeronaves passaram a ser dotadas de equipamentos mais modernos e de espaços com melhor ergonomia também para as tripulações de cabine.*

cala de vôo, um pequeno papel emitido mensalmente que informa seus dias e vôos, os dias de folga, e quando estarão cumprindo a escala de tripulante reserva. Ao contrário da grande maioria dos brasileiros, que trabalham de segunda a sexta, geralmente das 9:00 da manhã às 5:00 da tarde, a noção de fim de semana e horários regulares é praticamente desconhecida para uma comissária ou comissário - ao menos em termos práticos. Para aqueles que estão voando nas linhas domésticas da VARIG, um vôo pode significar um pernoite em alguma cidade distante da Base ou um vôo de ida e volta no mesmo dia - conhecido entre as tripulações de cabine e técnica como "bate e volta" —, e cujo regresso pode ocorrer nas últimas horas da noite. Para os que estão voando nas linhas internacionais, o número mensal de vôos é bem menor, mas a duração de cada vôo é substancialmente maior, e os pernoites longe de casa são mais longos. Assim, as circunstâncias ditadas pela escala de vôo não permitem a esses homens e mulheres levarem uma rotina de vida vagamente parecida com a de milhões de brasileiros. Coisas comuns como acompanhar uma novela ou curtir um chope com amigos durante um *happy hour* são coisas quase impossíveis de realizar. Para os casados e com filhos, corre-se o sério risco de estar ausente em alguma data familiar importante.

Como ocorreu com muitos de seus antecessores, um grande número dos comissários e comissárias da VARIG de hoje foi atraído para esse ramo de trabalho pela aura de *glamour* que acompanha a imagem dessa profissão. Outros, porque o vôo exercia sobre eles um fascínio extremamente forte. Alguns poucos, ainda acabaram por ingressar na carreira por mera casualidade. Conquanto aos olhos do público leigo a profissão de comissária ou comissário realmente tenha um *glamour* próprio, ela é como qualquer outra, com seus pontos positivos e negativos, virtudes e defeitos. Em vista das peculiaridades da profissão e das muitas demandas e sacrifícios sobre a pessoa, o número de desistências no primeiro ano ou dois de carreira é relativamente alto. No entanto, na opinião de muitos, uma vez ultrapassada a marca dos dois anos de serviço, dificilmente alguém abandona a carreira - simplesmente porque ela atua sobre a pessoa como um verdadeiro vício.

Exercer essa profissão exige grande habilidade no trato de pessoas de distintas nacionalidades, diversos perfis sócio-econômicos e diferentes níveis culturais - especialmente na VARIG, com sua rede de rotas domésticas que cobrem todo o território nacional e linhas internacionais que se estendem para praticamente todos os cantos do globo terrestre. Essa é uma outra faceta que muitos acreditam ser uma das partes mais atraentes do trabalho que abraçaram - travar contato direto com uma enorme quantidade de pessoas de diferentes origens e características. Na Ponte Aérea Rio/São Paulo ou nas linhas Rio/Brasília e São Paulo/Brasília, não é raro eles manterem um relacionamento de amizade com os passageiros mais assíduos - um fenômeno que dificilmente encontra paralelo em outras empresas de transporte aéreo locais e estrangeiras.

Trabalhando eficientemente, mesmo durante um longo e cansativo vôo de 11 ou 12 horas, as tripulações de cabine da VARIG sabem que podem fazer de um vôo um evento verdadeiramente agradável para um passageiro. E se esmeram para que isso ocorra. Verdadeiros *experts* em relações humanas, os comissários e comissárias da VARIG carregam consigo em cada vôo todo o calor e simpatia que caracterizam um povo.

# O Segredo da Tranqüilidade
## A Manutenção Varig

Na formação de qualquer empresa de transporte aéreo, muita atenção é dada à tarefa de reunir pessoal, material e meios que irão garantir a contínua disponibilidade das aeronaves de sua frota. Nesse ponto, a VARIG não diferiu de seus pares, e, quando de sua fundação, empenhou-se em montar o mais rápido possível as instalações necessárias à manutenção de sua frota - composta, na ocasião, de um hidroavião Dornier Do J Wal, meses mais tarde reforçado por um Dornier Merkur, também hidroavião. Como os hidroaviões provavelmente formariam a frota da VARIG por muitos anos, optou-se pelo estabelecimento de uma área de manutenção na extremidade sul da Ilha Grande dos Marinheiros, utilizando temporariamente um armazém no cais do porto da cidade de Porto Alegre até que suas instalações na ilha ficassem prontas. A poucos quilômetros do centro de Porto Alegre, as instalações na Ilha Grande dos Marinheiros também serviriam como terminal de passageiros.

Além das instalações e material, de igual importância era o recrutamento de pessoal especializado para executar os serviços de manutenção em aeronaves, que eram, em muitas ocasiões, máquinas temperamentais. Esse punhado de técnicos, alguns dos quais cedidos pela Condor-Syndikat e que contavam com conhecimentos adquiridos durante a Primeira Guerra Mundial, eram alemães, e representavam o que de melhor havia em suas respectivas áreas. A eles coube a tarefa de manter em perfeitas condições de vôo os dois hidroaviões da VARIG, bem como aqueles pertencentes à Condor-Syndikat, sempre sob difíceis condições de trabalho. Além disso, esse primeiro grupo de mecânicos foi responsável pelo treinamento de pessoal especializado recrutado localmente, que estaria entre os primeiros mecânicos civis de aviação formados no Brasil.

No entanto, antes mesmo de completar cinco anos de existência e premida pelas circunstâncias, toda a frota de aeronaves da VARIG passou a se constituir exclusivamente de aviões terrestres. Com aeródromo, terminal de passageiros e hangares de manutenção na Várzea do Gravataí, o núcleo de mecânicos da VARIG passou a dedicar-se à manutenção e revisão de aviões como os Junkers A 50 Junior e Junkers F.13, que chegaram em Porto Alegre em 1932. Mesmo com cinco aviões na frota, o número de mecânicos que trabalhava para a VARIG não ultrapassava quatro ou cinco homens, que ainda tinham que acompanhar praticamente cada vôo da empresa. Apesar da quantidade modesta de mecânicos, no entanto, todos os pilotos, por serem também mecânicos habilitados, executavam um amplo número de serviços de manutenção.

A quase total inexistência de talhas, guinchos ou guindastes nas oficinas de manutenção da VARIG daquela época fazia com que qualquer serviço de maior monta fosse uma verdadeira odisséia. Remover um motor e tornar a colocá-lo de volta, tarefa feita com muita regularidade, era sempre uma empreitada que exigia a presença de todos a fim de retirar braçalmente de seu berço um motor que pesava 150 kg ou mais para então colocá-lo em uma bancada improvisada. Apesar de haver hangares, dificilmente os aviões eram colocados para dentro quando precisavam sofrer algum serviço de manutenção e, o espaço coberto ficaria reservado para trabalhos em pequenos componentes da aeronave. Qualquer outro serviço a ser feito no avião era executado ao ar livre, sob chuva ou sol. Os trabalhos de manutenção em si já eram dificultados por deficiências no projeto da aeronave, que em nada facilitavam até os mais simples serviços de manutenção - problema que acompanharia o projeto de muitas aeronaves produzidas até o início da década de 60.

Com o incremento nas freqüências das linhas existentes e a tímida abertura de mais um par de rotas para o interior do Rio Grande do Sul, alia-

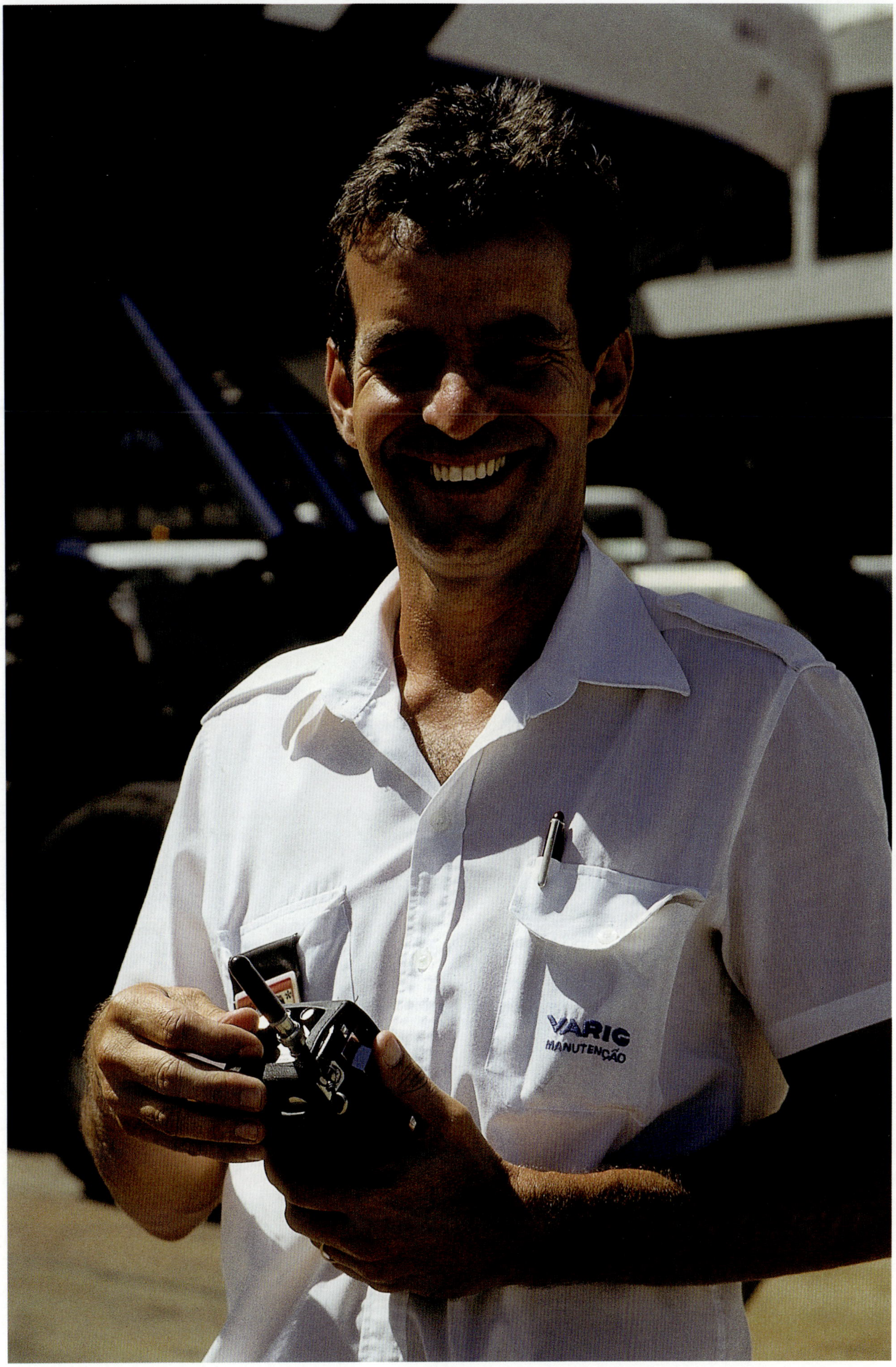
VARIG
MANUTENÇÃO

*O pequeno hangar de madeira construído na Várzea de Gravataí e destinado a realizar os serviços de manutenção dos aviões da VARIG deu lugar a instalações muito superiores no Aeroporto Salgado Filho. Com o centro de gravidade de sua rede de linhas deslocando-se para o norte, outros centros de manutenção foram criados em São Paulo e no Rio de Janeiro, este último abriga o maior centro de manutenção de aviões da VARIG.*

do à aquisição de mais duas aeronaves na segunda metade da década de 30, a VARIG se viu na obrigação de ampliar o seu quadro de mecânicos para seis homens. No entanto, logo um enorme desafio se imporia a esses homens. A eclosão da Segunda Guerra Mundial e as subseqüentes dificuldades em importar material da Alemanha faziam com que qualquer tipo de serviço de manutenção, por mais rotineiro, se transformasse em um trabalho épico. Duas outras empresas de transporte aéreo que também usavam aeronaves de origem alemã lograram importar uma quantidade razoável de peças de reposição. Mas, compreensivelmente, se recusaram a revender qualquer peça à VARIG. Com isso, os mecânicos da VARIG se viram obrigados a estender ao máximo a vida útil de cada componente da aeronave e, se necessário, fabricar localmente o material em falta. Para agravar ainda mais a situação, a incorporação de uma aeronave de origem inglesa e outra italiana, que não tinham nada em comum com os outros aviões da VARIG em termos de manutenção, só adicionou mais dificuldades aos problemas enfrentados pelo pessoal de

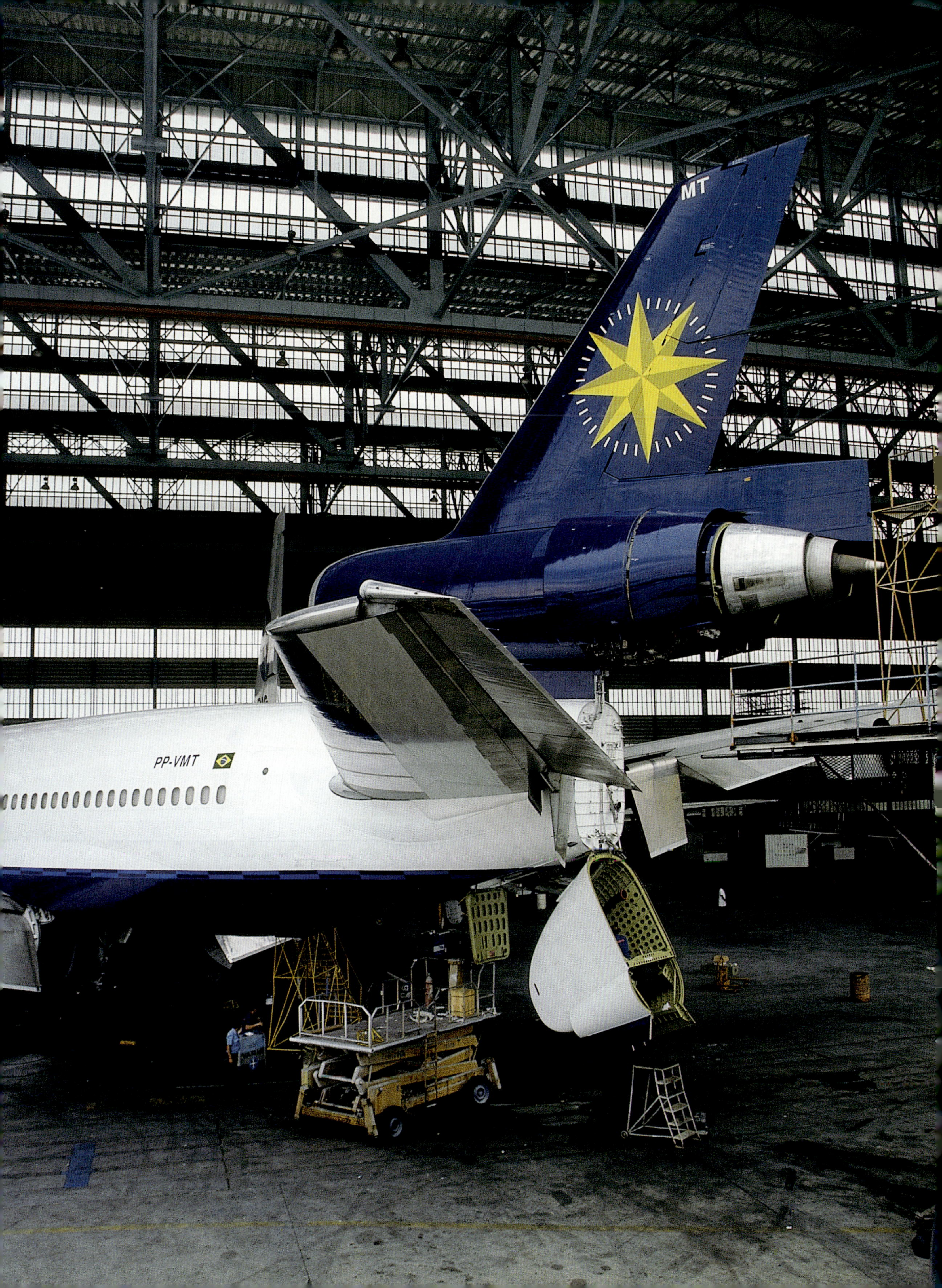
MT
PP-VMT

*Conhecido popularmente como Área Industrial, o Centro de Manutenção de Aviões VARIG é a maior organização do gênero existente na América do Sul. Além das aeronaves, são revisadas as diversas versões dos motores General Electric CF6-50/80, General Electric/SNECMA CFM56 e Pratt & Whitney JT8D.*

manutenção. No entanto, esse pessoal mostrou-se à altura do desafio, e, os aviões da VARIG executavam os seus vôos com a regularidade esperada.

Em 1943, a VARIG incorporou os seus primeiros Lockheed L.10A/E Electra. Com eles, o pessoal de manutenção teve seu primeiro contato direto com aviões que dispunham de modernidades como hélices de passo constante, trem de pouso retrátil, equipamento de rádio de última geração, equipamento para a realização de vôos por instrumentos e um elaborado - ao menos para época - sistema elétrico. Dominar essa tecnologia levou algum tempo, mas foi realizado sem dificuldades. A chegada dos primeiros quatro Douglas C-47B três anos depois encontrou os mecânicos prontos para realizar a manutenção daquela aeronave, graças à experiência com os pequenos Electra, exigindo somente a especialização necessária nos diversos sistemas e no grupo motopropulsor do C-47B.

Durante o decênio seguinte, as oficinas da VARIG em Porto Alegre expandiram de forma gradativa no que tange a instalações e pessoal. No final de 1955, essas instalações técnicas já eram consideradas entre as melhores da América do Sul, com oficinas capazes de realizar a revisão de diversos tipos de motores, de hélices hidromáticas e elétricas, e a construção ou revisão de rádios - além de seções que efetuavam os mais diversos serviços de galvanoplastia, pintura, estofaria e entelagem. A última metade daquela década assistiu à aquisição de mais aeronaves para a VARIG, incluindo os quadrimotores Lockheed Super Constellation - uma aeronave que inicialmente exigiu o máximo das habilidades dos mecânicos, sobretudo, em relação aos motores. Complexos e representando o cume do desenvolvimento dos motores a explosão, os motores Wright R-3350-CA18DA-3 que equipavam os Super Constellation eram uma fonte sem fim de problemas, e ganharam na empresa, por um breve período, a alcunha de "o maior trimotor do mundo". Esse problema afetava outras operadoras da Lockheed L.1049, mas foi um percalço que o pessoal de manutenção da VARIG superou em pouco tempo, e os Super Constellation da VARIG começaram a apresentar os desejados níveis de disponibilidade e confiabilidade.

O ingresso da VARIG na era do jato foi um novo desafio tecnológico, para o qual a VARIG já estava preparada. Enviando técnicos e engenheiros para realizarem cursos na França e Estados Unidos antes mesmo de terem chegado as novas aeronaves, a VARIG se lançou novamente à ampliação de suas oficinas em Porto Alegre e à expansão das instalações existentes em São Paulo e Rio de Janeiro. Seria justamente aí que a VARIG montaria o seu maior centro de manutenção, hoje conhecido internamente como Área Industrial. Ocupando uma área de cerca de 200 mil metros quadrados em um terreno adjacente ao Aeroporto Internacional do Rio de Janeiro que abriga diversos prédios e um enorme hangar, a Área Industrial executa uma plêiade de trabalhos de manutenção em praticamente todas as aeronaves da atual frota da VARIG.

Destacando-se das outras edificações da Área Industrial, o hangar na verdade só pode ser descrito através de superlativos. Capaz de abrigar simultaneamente três Boeing 747-300 e dois

*Para manter seu ritmo contínuo de trabalho, a Área Industrial conta com um enorme almoxarifado de peças. Um entre as centenas de elementos que trabalham em conjunto para atingir um único objetivo - realizar o melhor serviço de manutenção possível numa aeronave.*

*Enorme pelos padrões de qualquer país, o hangar principal da área industrial recebe confortavelmente uma combinação de aviões wide-body do tipo Boeing 747-300C ou McDonnell-Douglas MD-11, e ainda três ou quatro Boeing 737-300 ou Boeing 727-100. Aqui tem-se uma perfeita idéia da complexidade do trabalho exigido para manter os aviões da VARIG em perfeitas condições de vôo.*

Boeing 737-300, a área interna desse hangar alojaria confortavelmente pouco mais de 30 mil pessoas. É nesse hangar que é feita uma diversidade de serviços de manutenção nos Boeing 747-300, McDonnell-Douglas DC-10 e MD-11, Boeing 767-200, Boeing 767-300, Boeing 737-300, Boeing 737-200 e Boeing 727-200. Freqüentemente, além dos aviões da própria empresa, podem ser vistas aeronaves de outras empresas - testemunho silencioso da qualidade de trabalho que é executado pelas distintas equipes de manutenção da VARIG.

A filosofia subjacente à manutenção de cada aeronave da VARIG em muito lembra o trabalho que deveríamos fazer com nosso próprio carro - simplesmente seguir à risca o que o manual do proprietário estabelece em termos de manutenção. A diferença é a escala de grandeza da tarefa e o absoluto rigor no que diz respeito à qualidade do serviço realizado. A vida de uma aeronave é medida, entre outras coisas, pelo número de horas que ela voa, número de decolagens executadas e número de inspeções e revisões que ela sofreu. Com uma freqüência surpreendente, cada aeronave está sujeita a um grande número de inspeções para verificar o seu estado e executar quaisquer serviços de manutenção que se fizerem necessários. Conhecida como *check*-trânsito e realizada após cada vôo, independentemente de sua duração, um mecânico executa a mais básica das inspeções, que consiste em uma série de itens de verificação especificados em uma ficha. Caminhando em torno do avião, o mecânico faz o abastecimento de óleo e combustível, examina determinadas áreas da aeronave e verifica o livro de bordo para certificar-se de que nenhuma discrepância ou anomalia foi detectada pela tripulação.

No final do dia de operação daquela aeronave, quando ela estará parada por um número de horas, é feita mais outra inspeção, conhecida como operação diária. Um pouco mais detalhada do que a realizada entre os vôos, uma pequena turma de mecânicos segue o roteiro de verificações listadas em três páginas de itens. Além das áreas examinadas durante o *check*-trânsito, todo o equipamento de emergência da aeronave é cuidadosamente inspecionado, as instalações internas do avião examinadas detidamente, e sanadas quaisquer falhas lançadas pela tripulação no livro de bordo. Nesse último item, as panes que ocasionalmente ocorrem durante o vôo e que não são retificadas durante o *check*-trânsito são, na realidade, falhas que não comprometem a segurança do avião - como um forno que teima em não funcionar corretamente ou uma poltrona de passageiro cujo encosto travou.

A cada 125 horas de vôo, o avião sofre o que é denominado *check* A, uma inspeção primária em geral feita juntamente com a operação diária e consiste em três páginas de verificações que incluem itens como lubrificação de determinados componentes. Consumindo cerca de 500 homens/hora de trabalho para as aeronaves menores e em torno de 750 homens/hora para os aviões maiores, a próxima inspeção a ser realizada é o *check* B, também conhecida como operação básica. Executado ao longo de sete ou oito horas de trabalho ininterrupto, os mecânicos abrem um enorme número de janelas de inspeção para examinar internamente a aeronave, troca-se componentes controlados por horas de vôo e o teste dos sistemas elétricos, eletrônicos, hidráulicos e mecânicos do avião.

Com freqüência praticamente anual, a inspeção seguinte é o *check* C, que leva cerca de

*Despida de praticamente todas as suas instalações internas, a fuselagem de um Boeing 747-300 durante um Check D mais parece um túnel de metrô. Demorando cerca de 30 dias entre o início e o fim, uma dessas inspeções requer as habilidades e conhecimentos de centenas de homens e mulheres da manutenção da companhia. Uma vez de volta ao serviço, a aeronave terá sido completamente inspecionada.*

cinco ou seis dias e utiliza, direta ou indiretamente, os serviços de mais de 250 pessoas. Dependendo da aeronave, essa inspeção é feita quando o avião atinge a marca de 4.000 a 5.000 horas de vôo desde o último *check* C. Entre 500 a 1.000 itens programados são examinados e testados durante essa inspeção, e cada item pode implicar a abertura de um ou mais itens não-programados - basta um inspetor detectar alguma irregularidade ou anomalia.

De envergadura verdadeiramente impressionante, mesmo para os iniciados, o último tipo de inspeção — o *check* D — ocorre em geral a cada cinco anos, quando o avião completa um número de horas de vôo especificado pelo fabricante, que pode oscilar entre 15.000 e 20.000 horas de vôo, e ocupa as atenções de uma enorme equipe de homens durante 30 dias. Todas as instalações internas do avião são removidas, as superfícies de controle aerodinâmico retiradas, a cabine de comando esvaziada, o trem de pouso removido, a estrutura da aeronave minuciosamente examinada, incluindo uma bateria de exames por raios-x e magnaflux, a pintura removida, e incorporadas modificações ditadas pelo fabricante. Enfim, o avião fica praticamente depenado. Numa máquina que pesa, vazia, cerca de 140 toneladas, como é o caso de um McDonnell-Douglas MD-11, a magnitude dos trabalhos executados durante um *check* D pode ser incrível. A área que compreende a cabine de passageiros tem o seu assoalho removido e substituído por um novo, o mesmo ocorrendo com todos os painéis de fibra de vidro que compõem as paredes internas da cabine e os painéis de acrílico transparente que fazem parte de cada janela. Retirar os painéis que revestem a asa implica a remoção de algo como 6.000 parafusos, que não são aproveitados para uso posterior. Ao finalizar os trabalhos do *check* D, o avião é submetido a um serviço de pintura que, no caso de um Boeing 747-300, exigirá cerca de 380 litros de tinta e cerca de 2.300 homens/hora só para deixá-lo externamente com o novo esquema de pintura recém-adotado pela VARIG. Para tirar a pintura antiga, é necessário usar 3.600 kg de removedor, no caso de um McDonnell-Douglas MD-11, e 4.600 kg de removedor quando o avião é um Boeing 747-300.

Ao custo de cerca de US$ 1,2 milhão, o *check* D dos Boeing 747-300, Boeing 767-200/300, McDonnell-Douglas MD-11 e McDonnell-Douglas DC-10 da VARIG é feito exclusivamente no Rio de Janeiro. Os *check* B, C e D dos Boeing 737-200/300 e Boeing 727 são executados em Porto Alegre, que também é responsável pela revisão e reparos de equipamentos como instrumentos de vôo, equipamentos de comunicação e navegação, além de realizar a revisão de motores turboélice Allison 501D13 e Pratt & Whitney PW118 e das unidades de força auxiliar empregadas em todas as aeronaves da VARIG. Por sua vez, o complexo trabalho de revisar os enormes motores General Electric CF6 e General Electric/SNECMA que equipam todas as aeronaves da frota da VARIG, com exceção dos Boeing 737-200 e Boeing 727, é feito em um avançadíssimo complexo localizado na Área Industrial da VARIG no Rio de Janeiro. Tratados como equipamentos completamente independentes das aeronaves, as inspeções e revisões desses motores são feitas da mesma maneira que as realizadas nos aviões, ajustadas porém para coincidirem com os períodos de inspeção das aeronaves que eles equipam.

Internacionalmente reconhecida, a qualidade dos serviços dos vários centros de manutenção da VARIG não chega a surpreender. Com cerca de 5.500 técnicos e engenheiros espalhados pelos três centros de manutenção e em cada aeroporto em que a VARIG opera no Brasil e no exterior, a excelência do trabalho desses homens reflete muito bem a experiência adquirida ao longo de 70 anos. Outras empresas de transporte aéreo, muitas delas de renome como Alitalia e Air France, lançam mão dos meios materiais e de pessoal da VARIG para realizar a manutenção de seus próprios aviões, o que só atesta a excepcional qualidade dos serviços de manutenção da VARIG.

*No fim de cada dia, cada aeronave da frota da VARIG é cuidadosamente examinada. Aqui um mecânico realiza uma minuciosa inspeção visual das paletas do fan de um enorme motor General Electric CF6. Buscando qualquer sinal que indique a ingestão de objetos estranhos capazes de causar mossas ou rachaduras nas paletas, o mecânico realiza pacientemente um trabalho metódico que se repete incansavelmente.*

# Orgulho de Ser Brasileira
## A Imagem Varig

Criar a imagem de uma empresa requer ciência e arte. E uma boa dose de ambas foi utilizada ao longo dos 70 anos de existência da VARIG para formar sua imagem. O sucesso do esforço de muitos fica evidenciado pelo fato de a logomarca da VARIG ser uma das poucas de uma organização brasileira facilmente reconhecida no exterior.

Primeira empresa brasileira de transporte aéreo, a VARIG iniciou suas atividades lutando contra um considerável handicap: o grande receio do público quanto à segurança de voar numa máquina mais pesada que o ar. Afinal, a fundação da VARIG ocorrera apenas 21 anos depois do primeiro vôo do 14-Bis de Alberto Santos-Dumont, e a aviação só demonstrara algum sinal de progresso substancial durante a Primeira Guerra Mundial. As primeiras empresas de transporte aéreo só surgiram em 1919, e no Brasil, como no resto do mundo, voar era sinônimo de aventura e grande risco. Os dirigentes da VARIG prontamente colocaram anúncios referentes aos serviços da empresa em diversos jornais locais, mas eles careciam de qualquer "gancho", limitando-se exclusivamente a informar a linha que ela executava até o Rio Grande, com os horários e dias de saída. Veiculados em jornais de grande circulação nas cidades de Porto Alegre, Pelotas e Rio Grande, a única concessão à identificação de sua imagem era um biguá estilizado, uma grande ave nativa do Rio Grande do Sul.

Três anos após sua formação, a VARIG já havia aplicado em seus aviões um pequeno e discreto emblema que acompanharia a empresa por mais de seis décadas. Com algumas sutis diferenças incorporadas com o passar dos anos, entrava em cena o Ícaro estilizado da VARIG. Mas a imagem da empresa, que por força de sua área de atuação se restringia ao estado do Rio Grande do Sul, começou a se fixar na mente da coletividade exclusivamente por causa da reputação de pontualidade e segurança que ela logrou conquistar entre seus usuários. Uma campanha publicitária nos moldes daquelas que conhecemos hoje era um sonho, e os anúncios, ou reclames, como eram chamados na época, limitavam-se a um formato padrão contendo as informações das linhas e seus horários — por vezes o discreto Ícaro cedia lugar ao desenho do perfil de um avião. Utilizando desenhos de aviões superpostos sobre paisagens etéreas, com informações sobre seus vôos, a VARIG começou nessa época a utilizar, dentro dos limites da cidade de Porto Alegre, o conceito de *outdoor*, um meio pouco usado por companhias brasileiras congêneres, apesar da reconhecida agressividade então utilizada em suas campanhas.

Os últimos anos da década de 30 e o período da Segunda Guerra Mundial, com sua tímida expansão para outras localidades do interior do Rio Grande do Sul e uma linha internacional até Montevidéu, só sedimentaram a imagem da VARIG entre a população gaúcha. Durante os anos da guerra e possivelmente usando esse artifício para dirimir quaisquer dúvidas quanto à nacionalidade da empresa, os Ícaros aplicados nos aviões da VARIG passaram a carregar um mastro com uma bandeira brasileira. No entanto, nos anos imediatos do pós-guerra, que trouxeram uma grande expansão da sua rede de linhas, a VARIG experimentou o seu primeiro embate direto com as concorrentes. Com linhas chegando a São Paulo e Rio de Janeiro — o filé-mignon da aviação comercial brasileira — e a introdução de vôos mistos passageiros/carga oferecidos com tarifas sensivelmente mais baixas que as de seus concorrentes, a VARIG começou a incomodar concorrentes mais fortes, tirando-lhes passageiros. Como experiência geralmente equivale a qualidade, ao menos aos olhos de muitos, a Cruzeiro do Sul iniciou uma campanha em que afirmava ser a mais antiga companhia aérea do Brasil, valendo-se de sutilezas históricas que dão margem a uma impressão equivocada. Foi necessária uma maciça e agressiva cam-

Rio–Nova York sem escala. De segunda a Sunday.

VARIG

*A VARIG está entre os primeiros usuários do* outdoor *publicitário. Os primeiros começaram a surgir em meados dos anos 30. Esse esforço de propaganda visava a ajudar na dura tarefa de convencer a opinião pública dos benefícios do avião como meio de transporte.*

panha da VARIG, acompanhada da publicação de um documento oficial do Ministério da Aeronáutica, para que fossem eliminadas quaisquer dúvidas a respeito do assunto e neutralizar a campanha da Cruzeiro do Sul.

A abrupta expansão experimentada pela VARIG em 1953 e 1954, acompanhada da iminente inauguração de sua linha Rio/Nova York, desencadeou uma série de eventos que literalmente transformariam o rosto da empresa. Definidas as estratégias, a empresa tratou de aplicá-las com a maior brevidade possível. O serviço de bordo, que dependia de diversos tipos de caixas de lanche, foi totalmente modificado para atender a princípio os três Lockheed Super Constellation que realizariam a linha Rio/Nova York. Antes oferecendo ao passageiro sanduíches, um frango assado e refrigerantes, o novo serviço de bordo da VARIG servia ao usuário refeições em pratos de porcelana, com um cardápio variado comparável aos melhores restaurantes do Rio de Janeiro e São Paulo. Nessa área, a VARIG passou a superar por folgada margem todos os seus concorrentes nacionais e estrangeiros, e o serviço de bordo rapidamente ganhou uma fama mundial. Para marcar visualmente essas transformações que afetariam todas as linhas da rede da VARIG, os aviões receberam uma pintura característica, que foi primeiro apresentada nos três Lockheed Super Constellation que chegaram em Porto Alegre em meados de 1955. Abandonando a austera pintura de finas faixas pretas na fuselagem aplicadas sobre o metal polido, a nova pintura apresentava faixas azuis, negras e cinza, e a parte superior da fuselagem terminada em branco. Até o já tradicional Ícaro não escapou às mudanças, e seus traços foram sendo enxugados para apresentar um desenho mais limpo.

Os Super Constellation ainda protagonizariam um papel importante em outra disputa semelhante à ocorrida anos antes com a Cruzeiro do Sul. Designados pelo fabricante como L.1049G, os Super Constellation da VARIG receberam, pouco tempo após sua chegada ao Brasil, tanques de combustível de ponta de asa. Também conhecidos como aviões Constellation Super G, essa denominação foi aplicada nas faces externas dos dois tanques de todos os Super Constellation pertencentes à VARIG. No entanto, uma concorrente da VARIG nas linhas que iam aos Estados Unidos, o Consórcio Real-Aerovias-Nacional, encomendou e recebeu, em

123

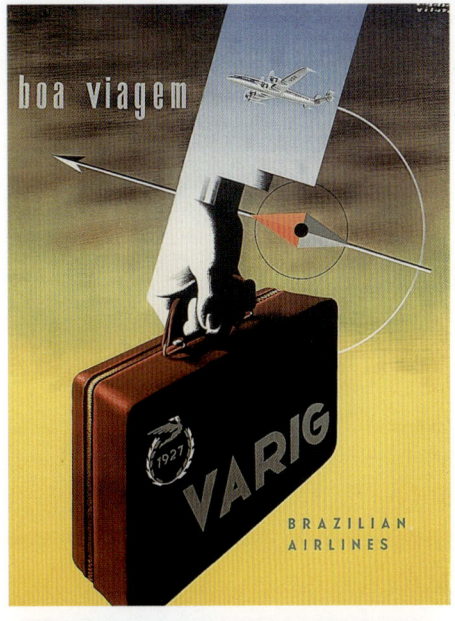

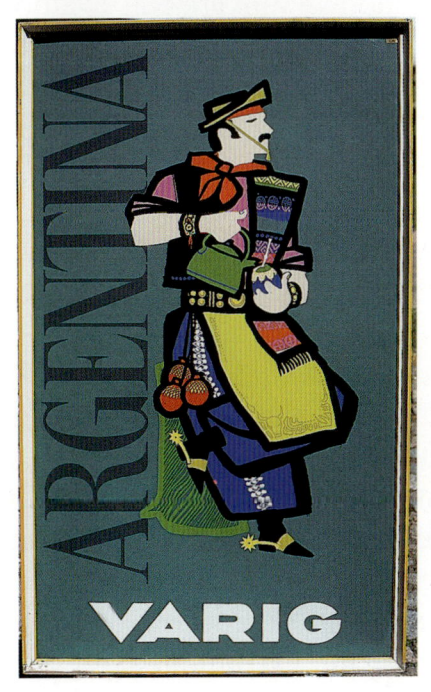

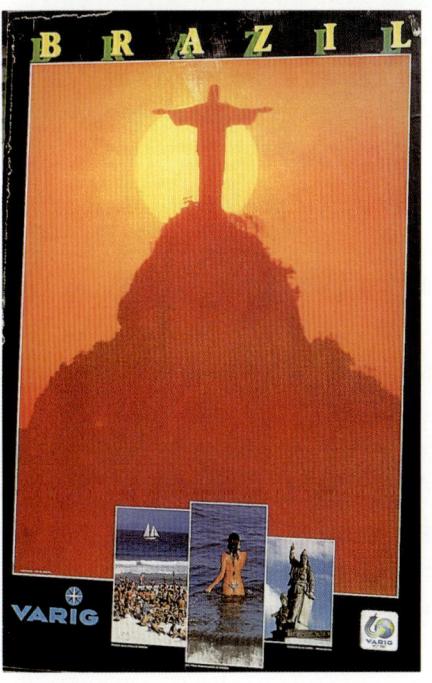

*A década de 50 foi marcada, entre as empresas de aviação, por campanhas agressivas que visavam a conquista de usuários fiéis das outras companhias. Uma dessas campanhas foi a "Guerra das Letras", um embate que envolveu a VARIG e o Consórcio Real-Aerovias-Nacional. Na foto um Lockheed Super Constellation I de Intercontinental, uma jogada de mestre do departamento de propaganda da VARIG.*

fevereiro de 1958, três aviões Lockheed L.1049H Super Constellation que foram colocados na linha São Paulo/Los Angeles. Exatamente iguais aos L.1049G da VARIG, com exceção do fato de possuírem piso interno reforçado para o transporte de carga e de uma porta de carga, os L.1049H da Real-Aerovias-Nacional passaram a ser denominados por aquela empresa aviões Constellation Super H. Essa denominação foi aplicada nos tanques de ponta de asa, de forma semelhante ao que fora feito nos aviões da VARIG. Ao mesmo tempo, uma campanha extremamente agressiva foi elaborada pela Real-Aerovias-Nacional, insinuando que os seus Super H eram superiores e mais modernos que os Super G em uso na VARIG, já que a letra H vem depois da letra G. Enganosa sem dúvida e sem qualquer respaldo técnico, a campanha no entanto atingiu seu objetivo — confundir o público usuário. Uma campanha para esclarecer o público provavelmente não alcançaria os objetivos desejados, e a VARIG optou por continuar com essa "guerra das letras" usando as mesmas armas de seu oponente. Como os Super Constellation da VARIG realizavam vôos intercontinentais, decidiu-se aplicar nos tanques de combustível de ponta de asa a denominação "Super Intercontinental" com a letra "I" figurando de forma bem proeminente. A nova campanha publicitária dos Super Constellation da VARIG explorou ao máximo essa nova denominação da aeronave, mas sua veiculação teve duração extremamente breve, pois a VARIG, às vésperas de introduzir o primeiro serviço de jatos entre o Brasil e os Estados Unidos, ficaria por algum tempo em vantagem em relação aos concorrentes nacionais e estrangeiros.

Sintonizadas com as estratégias da VARIG durante a segunda metade da década, diversas campanhas foram elaboradas e veiculadas em jornais, revistas e rádios. Foram pródigos os *jingles* produzidos para campanhas de rádio, muitos prontamente absorvidos pelo público. No entanto, um jingle que nasceu inspirado na música *Volare* teve a última linha de sua única estrofe transformada em assinatura — a conhecidíssima "VARIG!, VARIG!, VARIG". Na mídia impressa, um tucano com traços inconfundíveis passou a habitar as páginas dos principais jornais e revistas do país. Criado por um jovem de 17 anos que mais tarde fundaria sua própria agência de publicidade, o tucano permaneceu vinculado à VARIG por mais de 30 anos.

A década de 60 trouxe uma outra mudança na pintura das aeronaves da VARIG e a adoção de uma expressiva logomarca, e sua implementação coincidiu com a aquisição do Consórcio Real-Aerovias-Nacional. Aplicando uma rosa-dos-ventos estilizada, significando os sucessivos processos de expansão que a VARIG vivera, essa logomarca acompanha a empresa até os dias de hoje, passados 36 anos de sua idealização. Com a nova década, a VARIG entrou com força no mais novo dos meios — a televisão. Foram muitos os simpáticos comerciais caracterizados por jingles de extrema simplicidade e protagonizados por personagens que conquistaram o público, como o português Seu Cabral, os espanhóis Don Quixote e Sancho Panza, e o japonês Urashima Taro — veiculados em algum momento marcante das linhas para Portugal, Espanha e Japão. Hoje, o personagem mais marcante associado à imagem da empresa é o "Variguinho", uma caricatura extremamente simpática de um avião cuja idéia foi concebida em 1986.

Em fins de 1996, a VARIG abandonou a tradicional pintura que seus aviões vinham utilizando com poucas alterações desde a segunda metade da década de 50, dando-lhes uma pintura nova e atraente para marcar de forma indelével os novos rumos que a empresa está tomando em direção ao novo século. A tradicional rosa-dos-ventos foi reformulada, e as cores azul, preto e branco foram trocadas por cores mais nobres.

*No final da década de 90, surgiu o novo visual da VARIG. Objeto de muitos estudos, o novo padrão de cores foi finalmente apresentado ao público em setembro de 1996. Mantendo a famosa rosa-dos-ventos, alterada somente para melhor se conformar ao plano geral da nova imagem, foram adotadas quatro cores específicas: o azul-escuro transmite o conceito de tradição da VARIG como a principal empresa aérea brasileira; o dourado e o amarelo sugerem o calor do sol e o brilho do ouro tão brasileiros, enquanto o azul médio usado em algumas aplicações sugere os mares e céus que a VARIG sobrevoa diariamente em suas diversas rotas pelo mundo. Finalmente, representando o alegre espírito brasileiro, foi utilizada a palavra Brasil, com uma assinatura característica.*

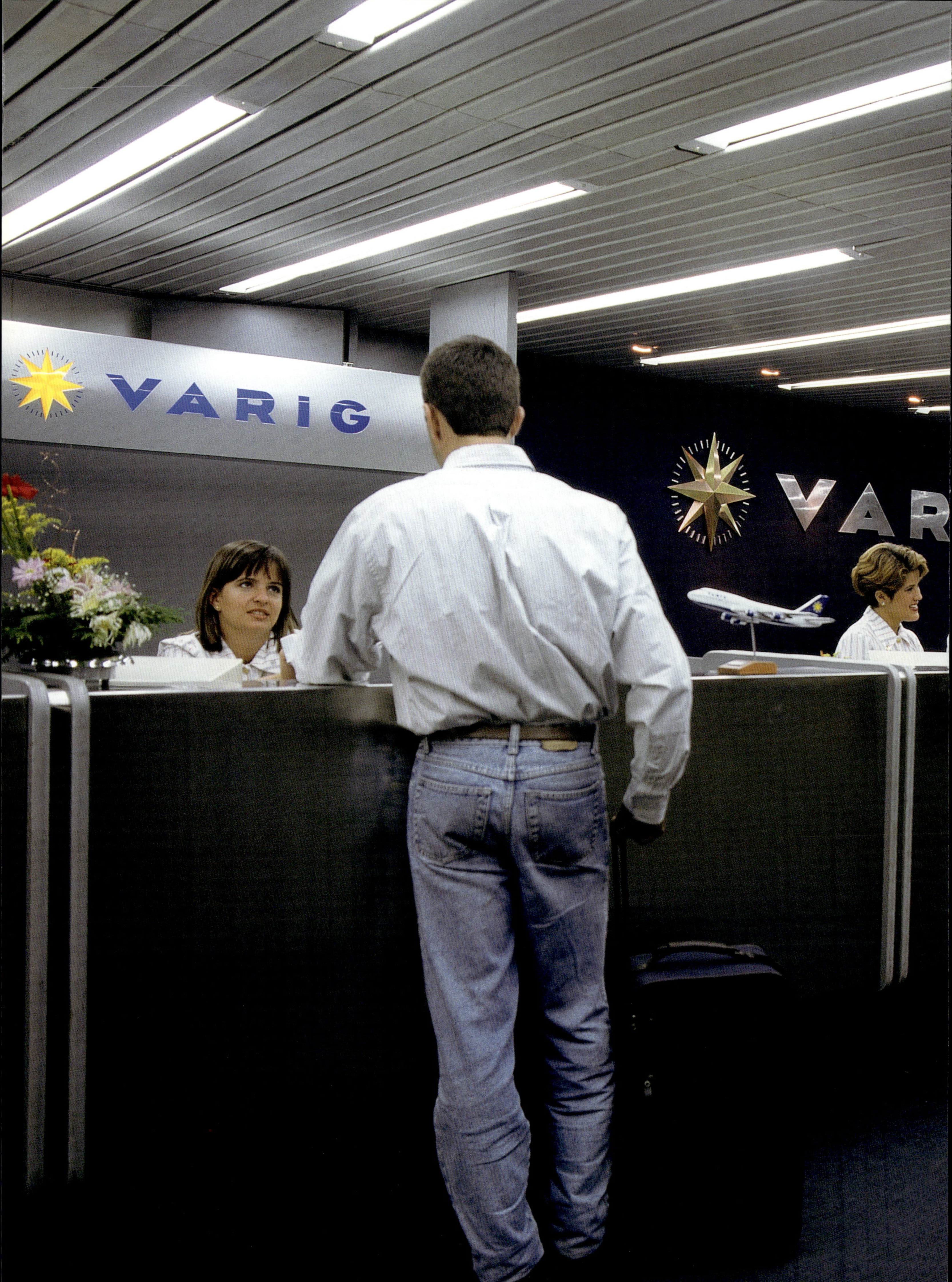
VARIG

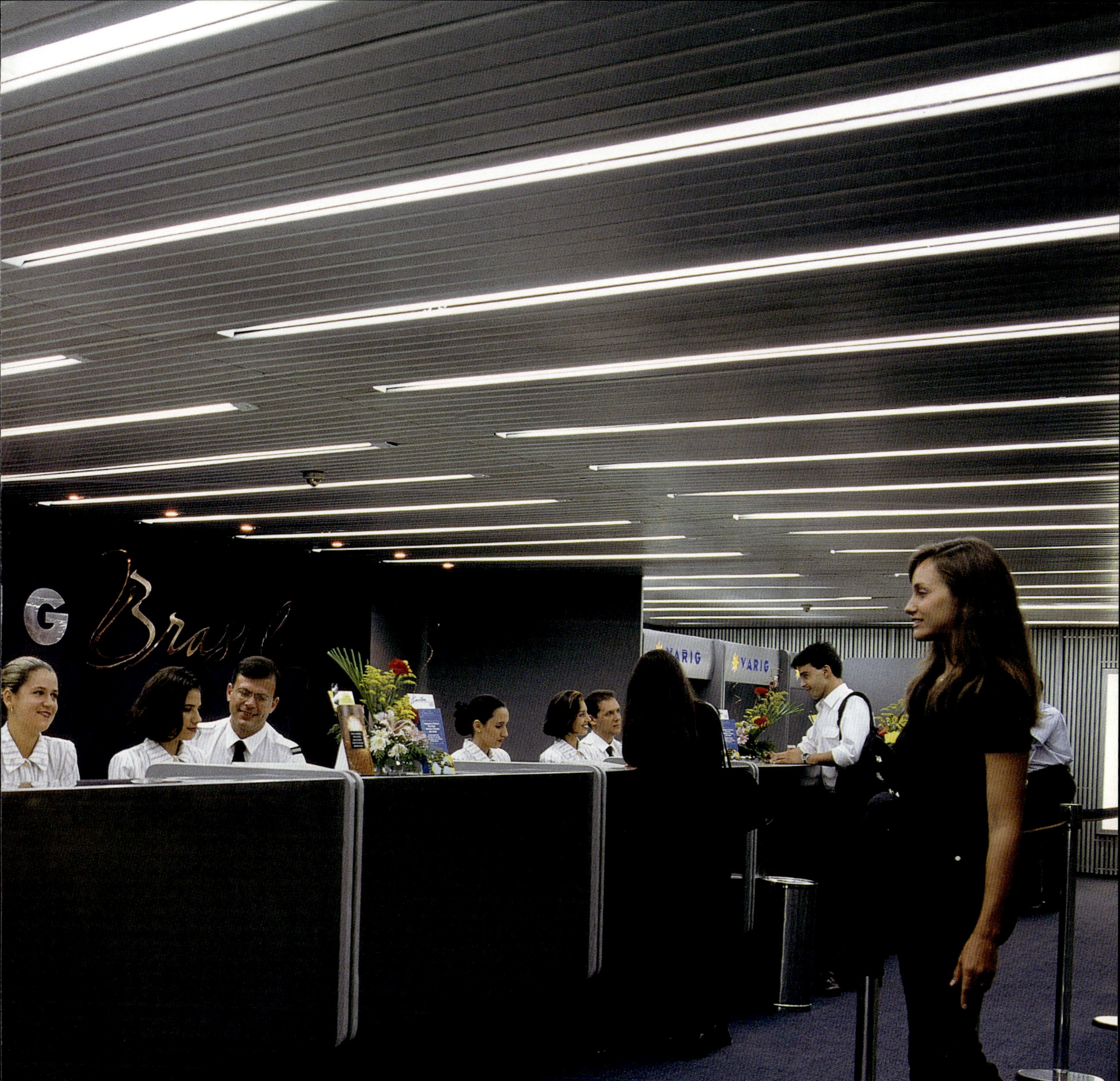
G Brasil
VARIG
VARIG

VERMOUTH
RUM
VINHO DO PORTO
CRUZEIRO
VARIG
LICORES
COGNAC
WHISKY
FINEST
CAMPARI

A preocupação da empresa com sua imagem sofisticada se manifesta nos mínimos detalhes, que vão desde a perfeição na pintura de suas aeronaves à qualidade dos alimentos e bebidas que serve a bordo. No intervalo de um ano, a VARIG encomenda dezenas de milhares de garrafas d'água, champanhe de diversos tipos, vinhos de excelentes vinícolas francesas e alemãs, uísque e outras bebidas alcóolicas e não-alcóolicas. Um enorme cuidado é dado à origem desses produtos, e um laboratório se encarrega de verificar a qualidade de cada um. A VARIG chega ao requinte de, a bordo de suas aeronaves de linhas internacionais, realizar o lançamento simultâneo de um conhecido vinho tinto francês. Em Londres os táxis também rodam nas cores da VARIG!

**Dornier Do J Wal**
Usando uma combinação "puxa/empurra" de dois motores Rolls-Royce Eagle, o Dornier Do J Wal da VARIG foi o primeira aeronave de transporte comercial do Brasil.
Velocidade de Cruzeiro: 160 km/h  Número de Passageiros: 9  Período de Serviço: 1927/1930  Frota: 1
Peso Máximo: 5.500 kg  Motor: 2 x Rolls-Royce Eagle de 360 hp cada

**Dornier Merkur**
Completamente metálico e equipado com flutuadores, o Dornier Merkur foi o único de seu tipo usado no Brasil
Velocidade de Cruzeiro: 140 km/h  Número de Passageiros: 6  Período de Serviço: 1927/1930  Frota: 1
Peso Máximo: 3.600 kg Motor: 1 x BMW V1 de 460 hp

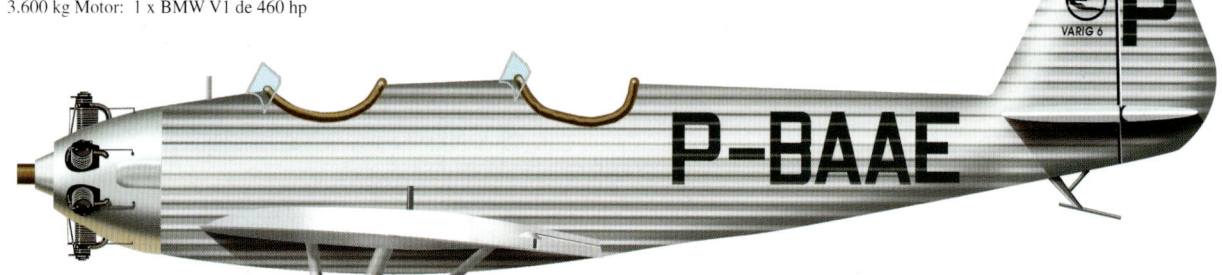

**Junkers A 50 Junior**
Adquirido para tarefas de instrução, esse pequeno avião biposto foi usado na VARIG principalmente para transporte de malas postais.  Velocidade de Cruzeiro: 140 km/h  Número de Passageiros: 1  Período de Serviço: 1931/1943  Frota: 3
Peso Máximo: 600 kg  Motor: 1 x Armstrong Siddeley Genet de 80 hp

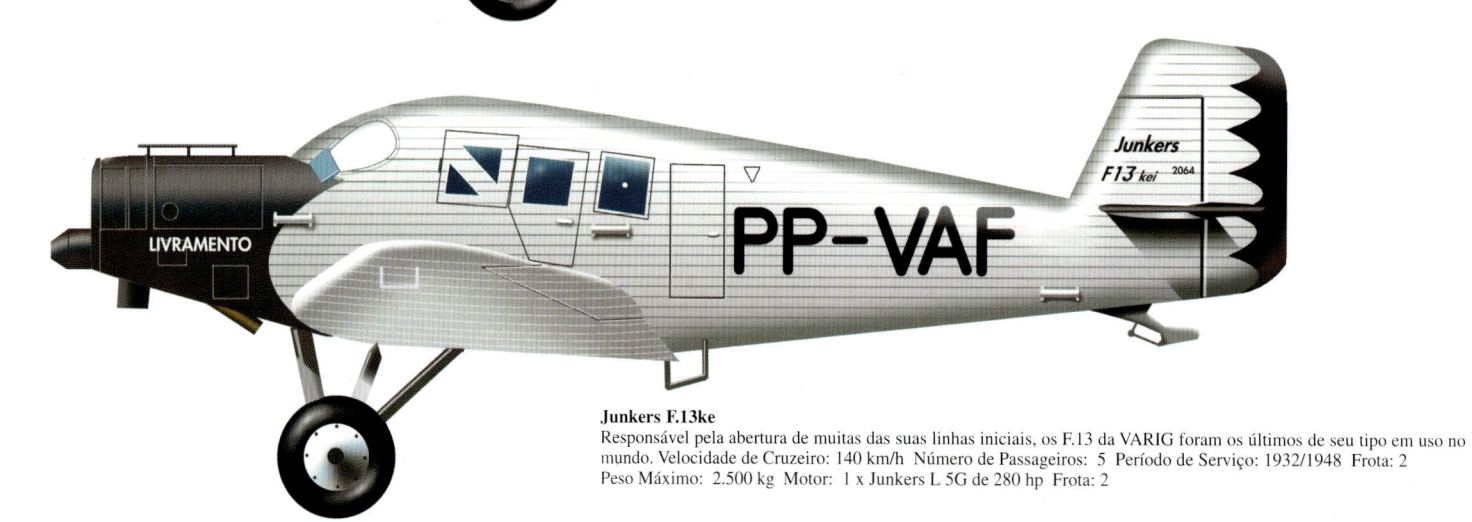

**Junkers F.13ke**
Responsável pela abertura de muitas das suas linhas iniciais, os F.13 da VARIG foram os últimos de seu tipo em uso no mundo. Velocidade de Cruzeiro: 140 km/h  Número de Passageiros: 5  Período de Serviço: 1932/1948  Frota: 2
Peso Máximo: 2.500 kg  Motor: 1 x Junkers L 5G de 280 hp  Frota: 2

**Messerschmitt M.20b**
Primeiro avião de grande porte da VARIG, essa aeronave terminou seus dias lançando pára-quedistas na VAE.
Velocidade de Cruzeiro: 180 km/h  Número de Passageiros: 10  Período de Serviço: 1937/1948  Frota: 1
Peso Máximo: 4.765 kg  Motor: 1 x BMW VI-8 de 670 hp

**Junkers Ju-52/3mge**
Concorrente europeu do Douglas DC-3 e adquirido da South African Airways, foi o primeiro trimotor da VARIG.
Velocidade de Cruzeiro: 245 km/h  Número de Passageiros: 16 a 17  Período de Serviço: 1938/1942  Frota: 1
Peso Máximo: 11.000 kg  Motor: 3 x BMW 132/A de 660 hp cada

**FIAT G.2**
Supostamente utilizado pelo filho de Benito Mussolini, esse trimotor teve uma vida relativamente efêmera com a VARIG.
Velocidade de Cruzeiro: 180 km/h  Número de Passageiros: 6  Período de Serviço: 1942/1944  Frota: 1
Peso Máximo: 2.965 kg  Motor: 3 x Alfa Romeo 110-I de 120 hp cada

**de Havilland DH-89A Dragon Rapide**
Batizado de *Chuí*, esse elegante bimotor foi o único biplano utilizado pela VARIG.
Velocidade de Cruzeiro: 210 km/h  Número de Passageiros: 8  Período de Serviço: 1942/1945  Frota: 1
Peso Máximo: 2.520 kg  Motor: 2 x de Havilland Gipsy 6 de 200 hp cada

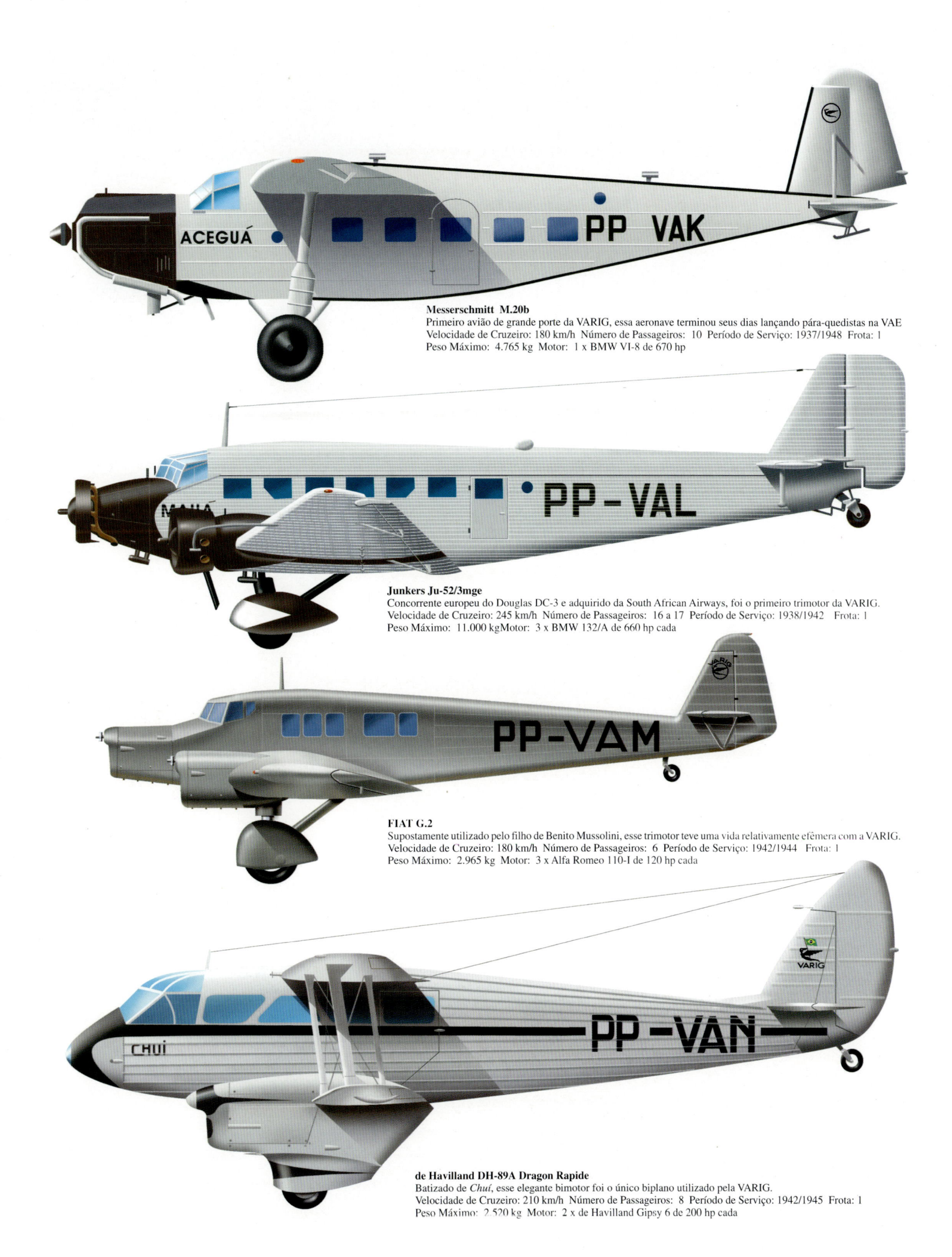

**Lockheed L.10E Electra**
Dando início a uma linhagem de aviões de transporte construídos pela Lockheed que incluiriam o Constellation e o Electra II, o L.10E aqui ilustrado foi exportado para os Estados Unidos após o seu uso pela VARIG. Velocidade de Cruzeiro: 330 km/h  Número de Passageiros: 9 a 10  Período de Serviço: 1943/1953  Frota: 3  Peso Máximo: 4.756 kg  Motor: 2 x Pratt & Whitney S3H1 de 550 hp cada

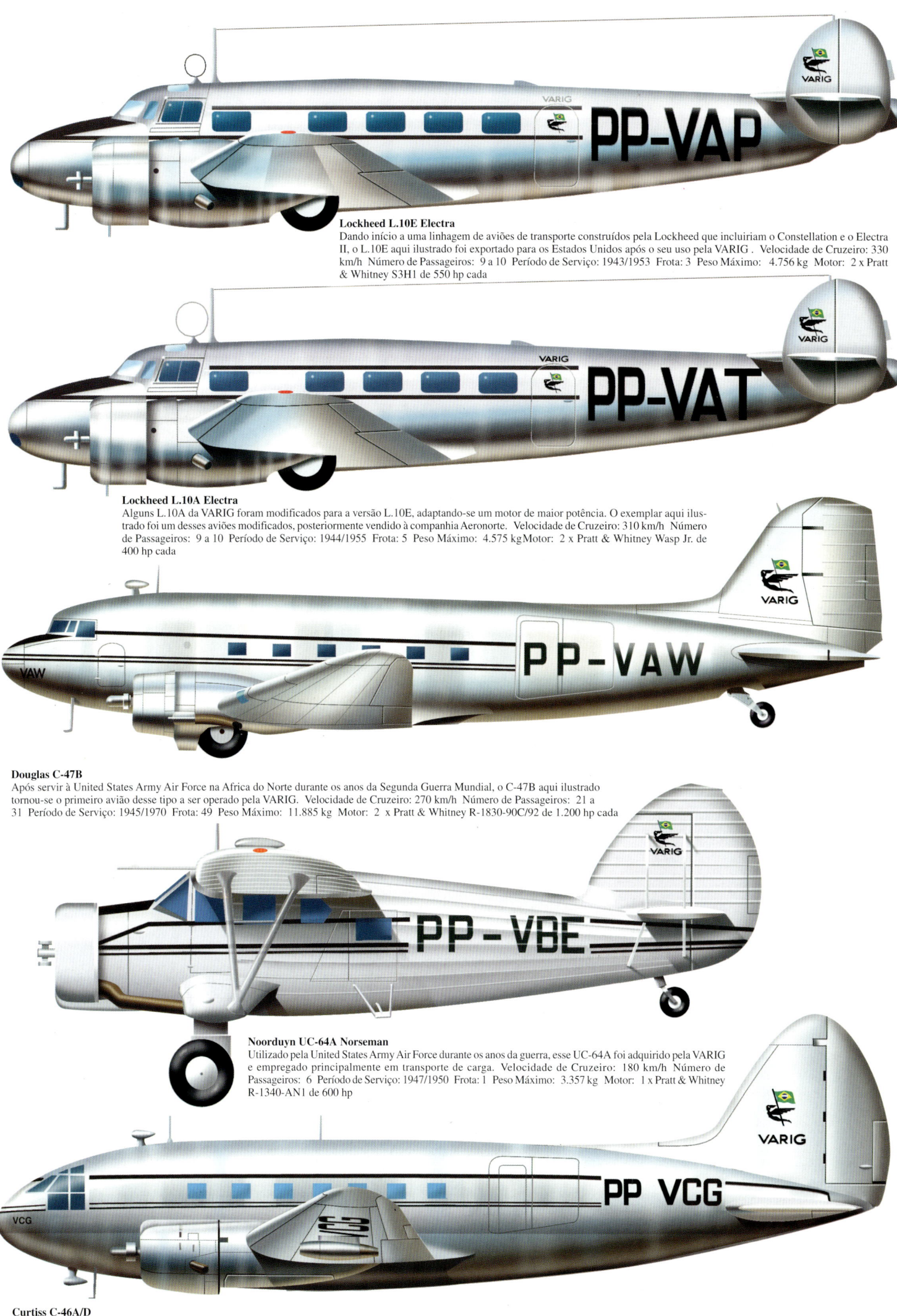

**Lockheed L.10A Electra**
Alguns L.10A da VARIG foram modificados para a versão L.10E, adaptando-se um motor de maior potência. O exemplar aqui ilustrado foi um desses aviões modificados, posteriormente vendido à companhia Aeronorte. Velocidade de Cruzeiro: 310 km/h  Número de Passageiros: 9 a 10  Período de Serviço: 1944/1955  Frota: 5  Peso Máximo: 4.575 kg Motor: 2 x Pratt & Whitney Wasp Jr. de 400 hp cada

**Douglas C-47B**
Após servir à United States Army Air Force na Africa do Norte durante os anos da Segunda Guerra Mundial, o C-47B aqui ilustrado tornou-se o primeiro avião desse tipo a ser operado pela VARIG. Velocidade de Cruzeiro: 270 km/h  Número de Passageiros: 21 a 31  Período de Serviço: 1945/1970  Frota: 49  Peso Máximo: 11.885 kg  Motor: 2 x Pratt & Whitney R-1830-90C/92 de 1.200 hp cada

**Noorduyn UC-64A Norseman**
Utilizado pela United States Army Air Force durante os anos da guerra, esse UC-64A foi adquirido pela VARIG e empregado principalmente em transporte de carga. Velocidade de Cruzeiro: 180 km/h  Número de Passageiros: 6  Período de Serviço: 1947/1950  Frota: 1  Peso Máximo: 3.357 kg  Motor: 1 x Pratt & Whitney R-1340-AN1 de 600 hp

**Curtiss C-46A/D**
Adquiridos ao longo de 13 anos, muitos dos C-46A da VARIG terminaram seus dias como aviões de carga. Velocidade de Cruzeiro: 310 km/h  Número de Passageiros: 40 a 48  Período de Serviço: 1948/1971  Frota: 13  Peso Máximo: 20.410 kg  Motor: 2 x Pratt & Whitney R-2800-75 de 2.000 hp cada e 2 x Turbomeca Pallas (1953/1956, alguns)

**Convair 240**
Primeiro avião pressurizado da VARIG, seus Convair 240 foram todos adquiridos da Pan American Airways e da Northeast Airlines. Velocidade de Cruzeiro: 400 km/h
Número de Passageiros: 40  Período de Serviço: 1954/1968  Frota: 13  Peso Máximo: 19.525 kg  Motor: 2 x Pratt & Whitney R-2800-CB16 de 2.400 hp cada

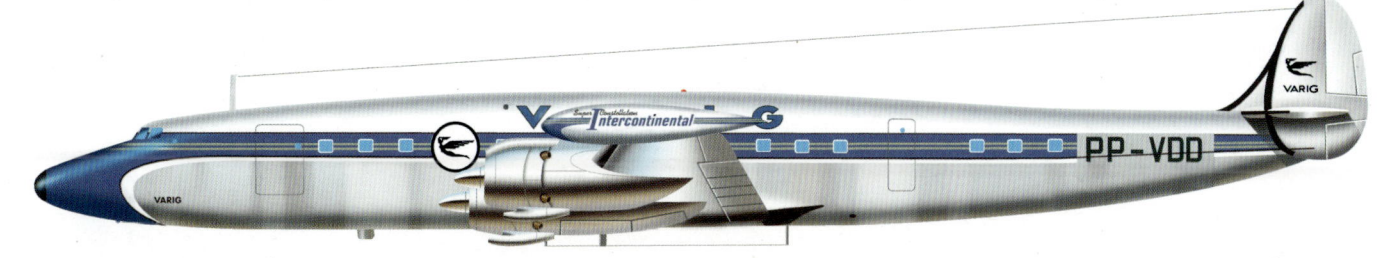

**Lockheed L.1049G Super Constellation**
Primeiro avião quadrimotor da VARIG, o Super Constellation ilustrado fez parte do 2º lote desses aviões que a empresa recebeu a partir de novembro de 1957; ostentava os tanques de ponta de asa característicos da "Guerra das Letras". Velocidade de Cruzeiro: 480 km/h  Número de Passageiros: 66 a 85  Período de Serviço: 1955/1967  Frota: 9  Peso Máximo: 64.552 kg  Motor: 4 x Wright R-3350-CA18DA-3 de 3.250 hp cada

**Curtiss Super 46C**
Entre 1958 e 1961, alguns Curtiss C-46A/D da VARIG foram modificados para a versão Super 46C, recebendo motores de maior potência que permitiram aumentar substancialmente o peso máximo de decolagem. Velocidade de Cruzeiro: 310 km/h  Número de Passageiros: 48 a 58  Período de Serviço: 1955/1967  Frota: 9  Peso Máximo: 22.650 kg  Motor: 2 x Pratt & Whitney R-2800-83AM4AH de 2.100 hp cada

**Sud Aviation SE-210 Caravelle I**
Primeiro Caravelle I recebido pela VARIG, o avião aqui ilustrado terminou seus dias como o avião presidencial de Jean Bedel Bokassa da República Centro-Africana. Velocidade de Cruzeiro: 780 km/h  Número de Passageiros: 64 a 73  Período de Serviço: 1959/1964  Frota: 3  Peso Máximo: 43.500 kg
Motor: 2 x Rolls-Royce Avon Mk 526-10 de 11.400 libras de empuxo cada

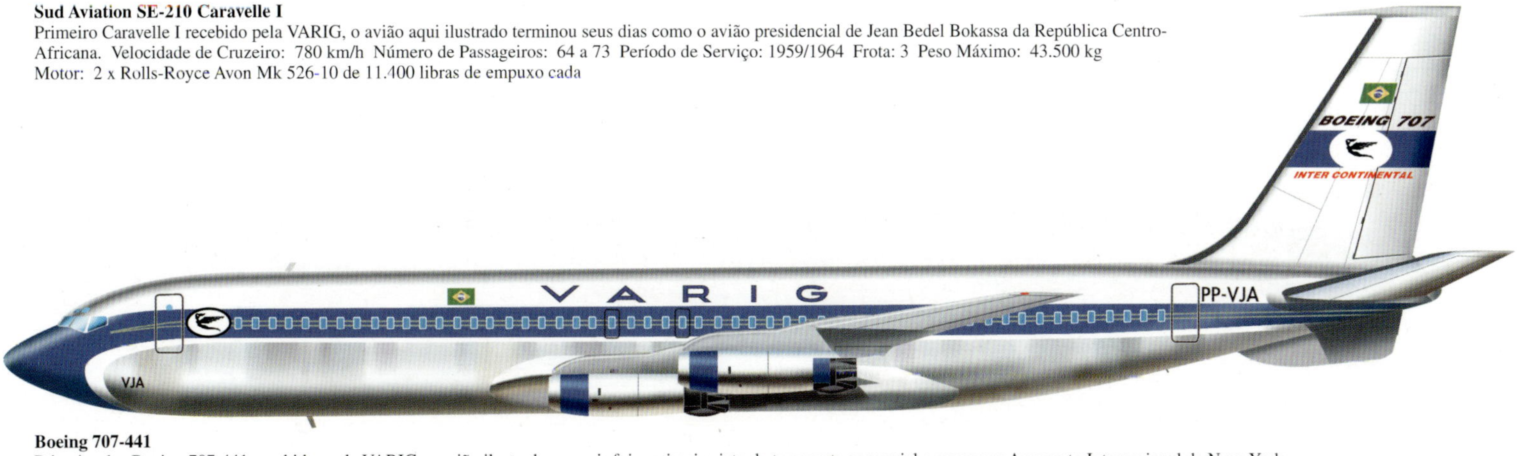

**Boeing 707-441**
Primeiro dos Boeing 707-441 recebidos pela VARIG, o avião ilustrado a seguir foi o primeiro jato de transporte comercial a pousar no Aeroporto Internacional de Nova York.
Velocidade de Cruzeiro: 950 km/h  Número de Passageiros: 98 a 170  Período de Serviço: 1960/1979  Frota: 3  Peso Máximo: 141.522 kg  Motor: 4 x Rolls-Royce Conway Mk 508-40 de 17.500 libras de empuxo cada

**Boeing 707-320C**
A VARIG adquiriu diversas versões do Boeing 707-320C, que assumiram o papel de principal avião de suas linhas internacionais durante a década de 60 e início dos anos 70. Alguns poucos exemplares foram configurados exclusivamente como cargueiros.  Velocidade de Cruzeiro:  950 km/h  Número de Passageiros:  84 a 176  Período de Serviço: 1966/1989  Frota:  17   Peso Máximo:  151.956 kg  Motor:  4 x Pratt & Whitney JT3D-38 de 18.000 libras de empuxo cada

**Douglas DC-6B**
Herança da compra do Consórcio Real-Aerovias-Nacional, esses aviões tiveram uma vida efêmera na VARIG, sendo posteriormente transferidos para a Força Aérea Brasileira. Velocidade de Cruzeiro:  450 km/h  Número de Passageiros:  70 a 90  Período de Serviço: 1961/1968  Frota:  5  Peso Máximo:  48.534 kg  Motor:  4 x Pratt & Whitney R-2800-CB17 de 2.500 hp cada

**Lockheed L.188A Electra II**
Relutantemente incorporados após a compra do Consórcio Real-Aerovias-Nacional, a VARIG colocou esses aviões em serviço nas suas linhas domésticas, transferindo-os mais tarde para a Ponte Aérea Rio-São Paulo, onde fizeram história.  Velocidade de Cruzeiro:  650 km/h  Número de Passageiros:  90  Período de Serviço: 1962/1991  Frota: 15  Peso Máximo:  51.257 kg  Motor:  4 x  Allison 501-D13A de 3.750 eshp cada

**Convair 990-30 Coronado**
Ilustrando o último desses aviões originalmente encomendados pelo Consórcio Real-Aerovias-Nacional e recebidos pela VARIG, os Convair Coronado foram utilizados nas linhas internacionais, principalmente as sul-americanas.  Velocidade de Cruzeiro: 1.175 km/h  Número de Passageiros:  95 a 104  Período de Serviço: 1963/1971  Frota: 3  Peso Máximo:  114.760 kg  Motor: 4 x General Electric CJ805-23B de 16.050 libras de empuxo cada

**Douglas DC-8-33**
Concorrentes diretos do Boeing 707, os DC-8 brasileiros foram originalmente operados pela Panair do Brasil. Com a suspensão das atividades daquela empresa, dois desses aviões foram transferidos para a VARIG, que os operou em suas linhas internacionais. Velocidade de Cruzeiro: 950 km/h  Número de Passageiros: 149  Período de Serviço: 1965/1974  Frota: 2  Peso Máximo: 144.245 kg  Motor: 4 x Pratt & Whitney JT4A-12 de 17.500 libras de empuxo cada

**Hawker Siddeley HS.748 Srs 2**
Substituindo os seus Douglas C-47A/B e Curtiss Super 46C nas linhas domésticas do interior brasileiro, esses aviões ficaram conhecidos entre as suas tripulações como Avro, nome do fabricante original dessas aeronaves. Velocidade de Cruzeiro: 440 km/h  Número de Passageiros: 40 a 44  Período de Serviço: 1968/1976  Frota: 11  Peso Máximo: 20.182 kg  Motor: 2 x Rolls-Royce Dart 7 Mk 531 de 2.280 eshp cada

**Boeing 727-100**
Adquiridos em lotes entre 1970 e 1980 para integrar a rede doméstica de linhas da VARIG, alguns desses aviões foram retirados de serviço, e os exemplares remanescentes hoje são utilizados como cargueiros. Velocidade de Cruzeiro: 1.003 km/h  Número de Passageiros: 114  Período de Serviço: 1970/em serviço  Frota: 11  Peso Máximo: 77.098 kg  Motor: 3 x Pratt & Whitney JT8D-9 de 14.500 libras de empuxo cada

**Boeing 737-200**
Complementando os Boeing 727-100 nas linhas domésticas da VARIG, alguns Boeing 737-200 da empresa são oriundos da Cruzeiro do Sul. Velocidade de Cruzeiro: 905 km/h  Número de Passageiros: 109  Período de Serviço: 1974/em serviço  Frota: 20  Peso Máximo: 52.290 kg  Motor: 2 x Pratt & Whitney JT8D-17A de 16.000 libras de empuxo cada

**Airbus Industrie A300B4-200**
Primeiro jato de transporte aéreo de origem européia adquirido pela VARIG e conhecido simplesmente como "Airbus", essas aeronaves voaram nas linhas domésticas de longa distância e algumas internacionais no continente sul-americano. Velocidade de Cruzeiro: 900 km/h  Número de Passageiros: 234 a 249  Período de Serviço: 1981/1990  Frota: 2  Peso Máximo: 165.000 kg  Motor: 2 x General Electric CF6-50C1 de 52.500 libras de empuxo cada

**Boeing 737-300**
Dividindo com o Boeing 737-200 a responsabilidade por praticamente todas as linhas domésticas da VARIG, esses aviões também executam os vôos VARIG da Ponte Aérea Rio-São Paulo. Velocidade de Cruzeiro: 930 km/h  Número de Passageiros: 117 a 134  Período de Serviço: 1987/em serviço  Frota: 26  Peso Máximo: 61.235 kg  Motor: 2 x General Electric/SNECMA CFM-56-3B2 de 22.000 libras de empuxo cada

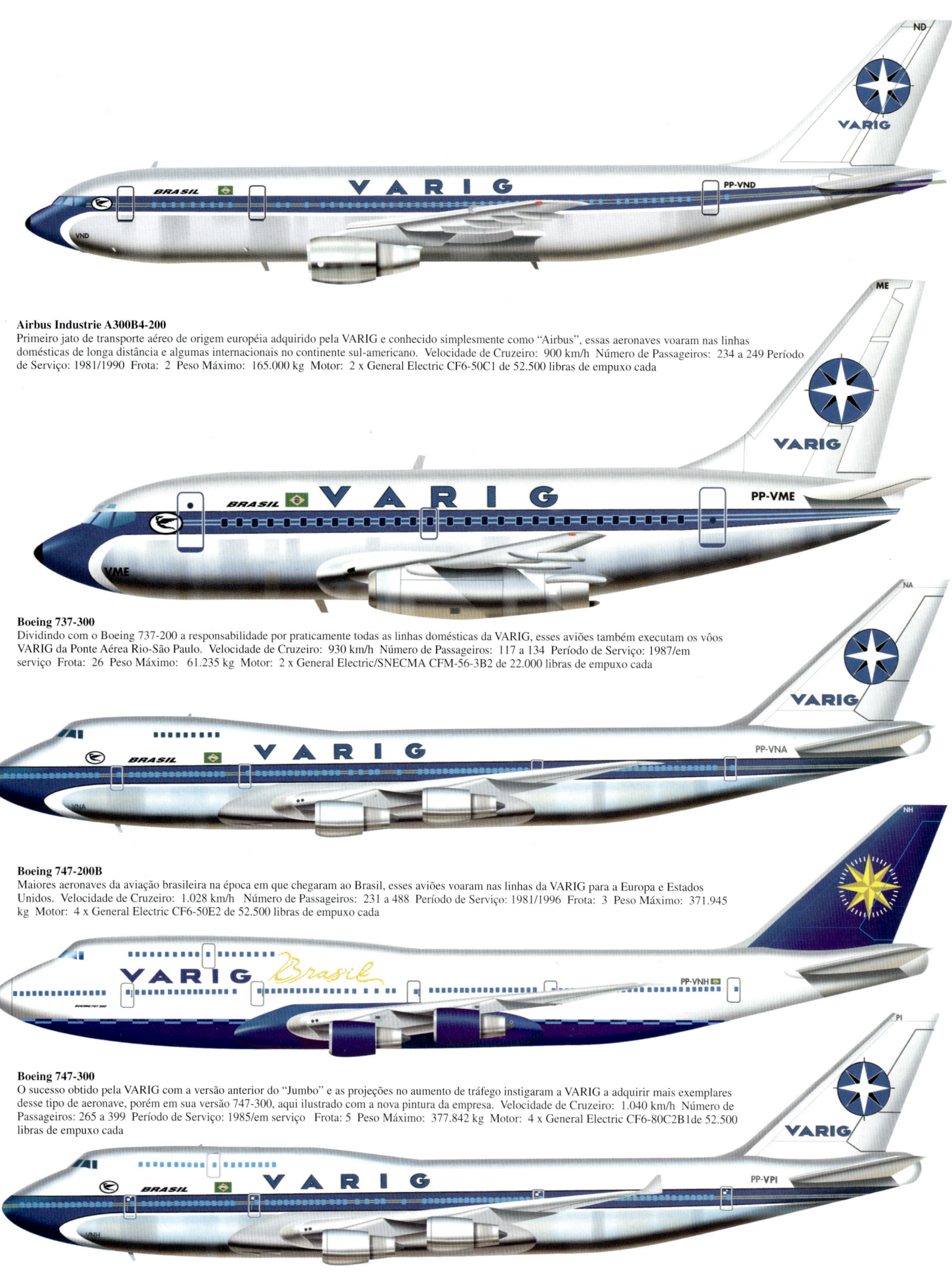

**Boeing 747-200B**
Maiores aeronaves da aviação brasileira na época em que chegaram ao Brasil, esses aviões voaram nas linhas da VARIG para a Europa e Estados Unidos. Velocidade de Cruzeiro: 1.028 km/h  Número de Passageiros: 231 a 488  Período de Serviço: 1981/1996  Frota: 3  Peso Máximo: 371.945 kg  Motor: 4 x General Electric CF6-50E2 de 52.500 libras de empuxo cada

**Boeing 747-300**
O sucesso obtido pela VARIG com a versão anterior do "Jumbo" e as projeções no aumento de tráfego instigaram a VARIG a adquirir mais exemplares desse tipo de aeronave, porém em sua versão 747-300, aqui ilustrado com a nova pintura da empresa. Velocidade de Cruzeiro: 1.040 km/h  Número de Passageiros: 265 a 399  Período de Serviço: 1985/em serviço  Frota: 5  Peso Máximo: 377.842 kg  Motor: 4 x General Electric CF6-80C2B1de 52.500 libras de empuxo cada

**Boeing 747-400**
Dispondo de uma capacidade de assentos ainda maior do que o 747-300, esses aviões tiveram uma vida curta na VARIG: as projeções de aumento de tráfego não se materializaram, e determinando sua retirada de serviço. Velocidade de Cruzeiro: 1.040 km/h  Número de Passageiros: 265 a 399  Período de Serviço: 1991/1994  Frota: 3  Peso Máximo: 379.500 kg  Motor: 4 x General Electric CF6-80C2 de 52.500 libras de empuxo cada

**McDonnell Douglas DC-10-30**
Encomendados para as linhas internacionais e gradativamente substituindo os Boeing 707-320C, hoje compartilham as linhas internacionais com outras aeronaves. O avião ilustrado representa a aeronave que apoiou a Seleção Brasileira durante a Copa Mundial de 1994.  Velocidade de Cruzeiro: 1.003 km/h  Número de Passageiros: 232 a 283  Período de Serviço: 1974/em serviço  Frota: 15  Peso Máximo: 263.084  kg  Motor: 3 x General Electric CF6-50C2 de 51.000 libras de empuxo cada

**McDonnell-Douglas MD-11**
Último tipo de aeronave a ser adquirida pela VARIG, o MD-11 praticamente incorpora toda a tecnologia avançada existente na última geração de aviões de transporte de passageiros, executando algumas das mais longas linhas internacionais da VARIG.  Velocidade de Cruzeiro: 1.003 km/h  Número de Passageiros: 271  Período de Serviço: 1991/em serviço  Frota: 8  Peso Máximo: 280.320 kg  Motor: 3 x General Electric CF6-80C2D1F de 52.500 libras de empuxo cada

**Boeing 767-200ER**
Primeiro jato comercial bimotor liberado para travessias oceânicas, essas aeronaves percorrem diversas linhas internacionais da VARIG. O exemplar aqui ilustrado ostenta marcas comemorativas alusivas às Olimpíadas de 1996.  Velocidade de Cruzeiro: 979 km/h  Número de Passageiros: 169 a 200  Período de Serviço: 1986/em serviço  Frota: 8  Peso Máximo: 159.210 kg  Motor: 2 x General Electric CF6-80C2B6F de 52.500  libras de empuxo cada

**Boeing 767-300ER**
Oferecendo maior capacidade de transporte do que sua versão anterior, o 767-300ER cobre todos os destinos da VARIG dentro da Península Ibérica.  Velocidade de Cruzeiro: 979 km/h  Número de Passageiros: 213  Período de Serviço: 1989/em serviço  Frota: 4  Peso Máximo: 181.436 kg  Motor: 2 x General Electric CF6-80C2B6F de 61.500 libras de empuxo cada

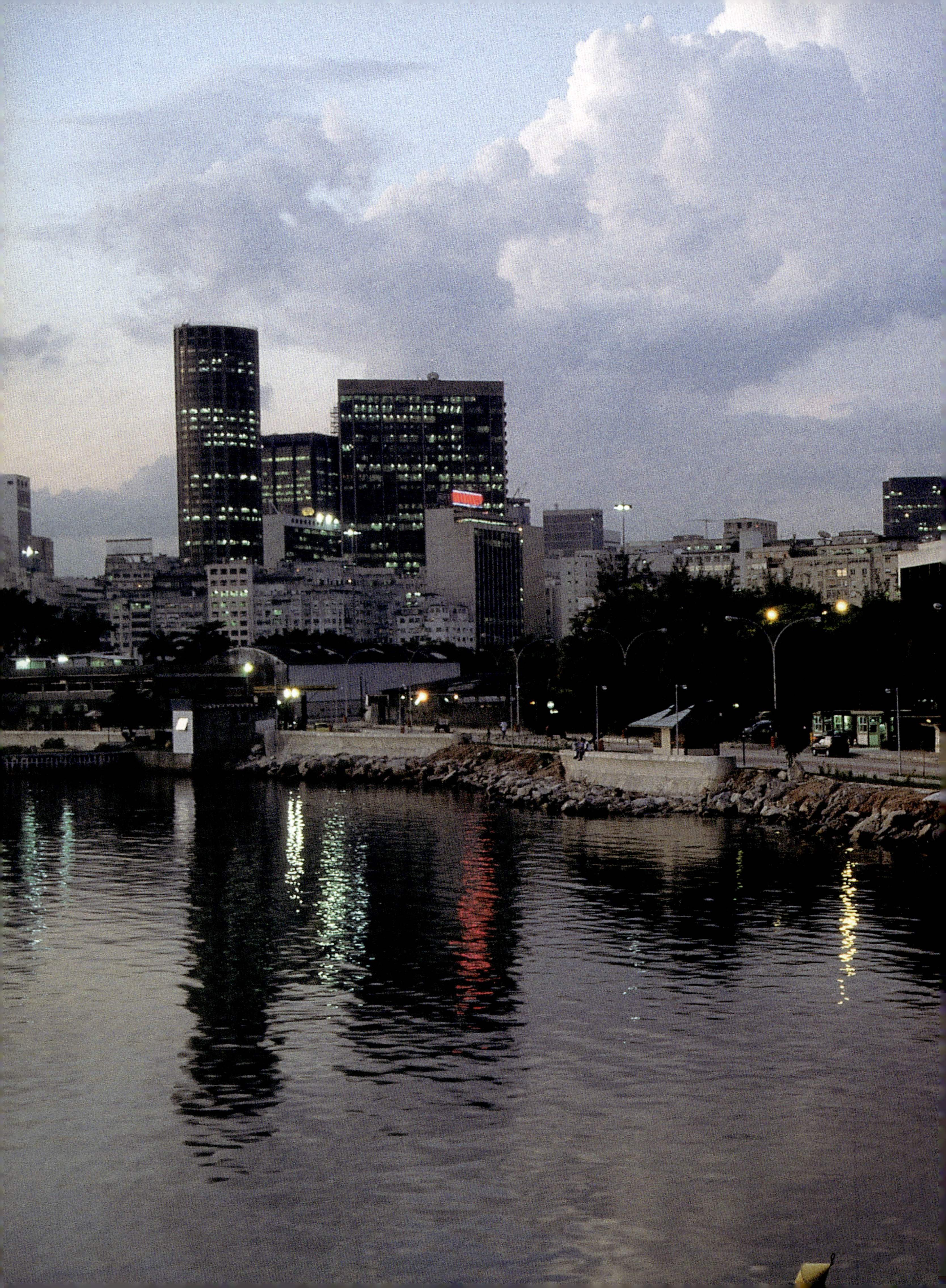

*Sede da VARIG no Rio de Janeiro.*

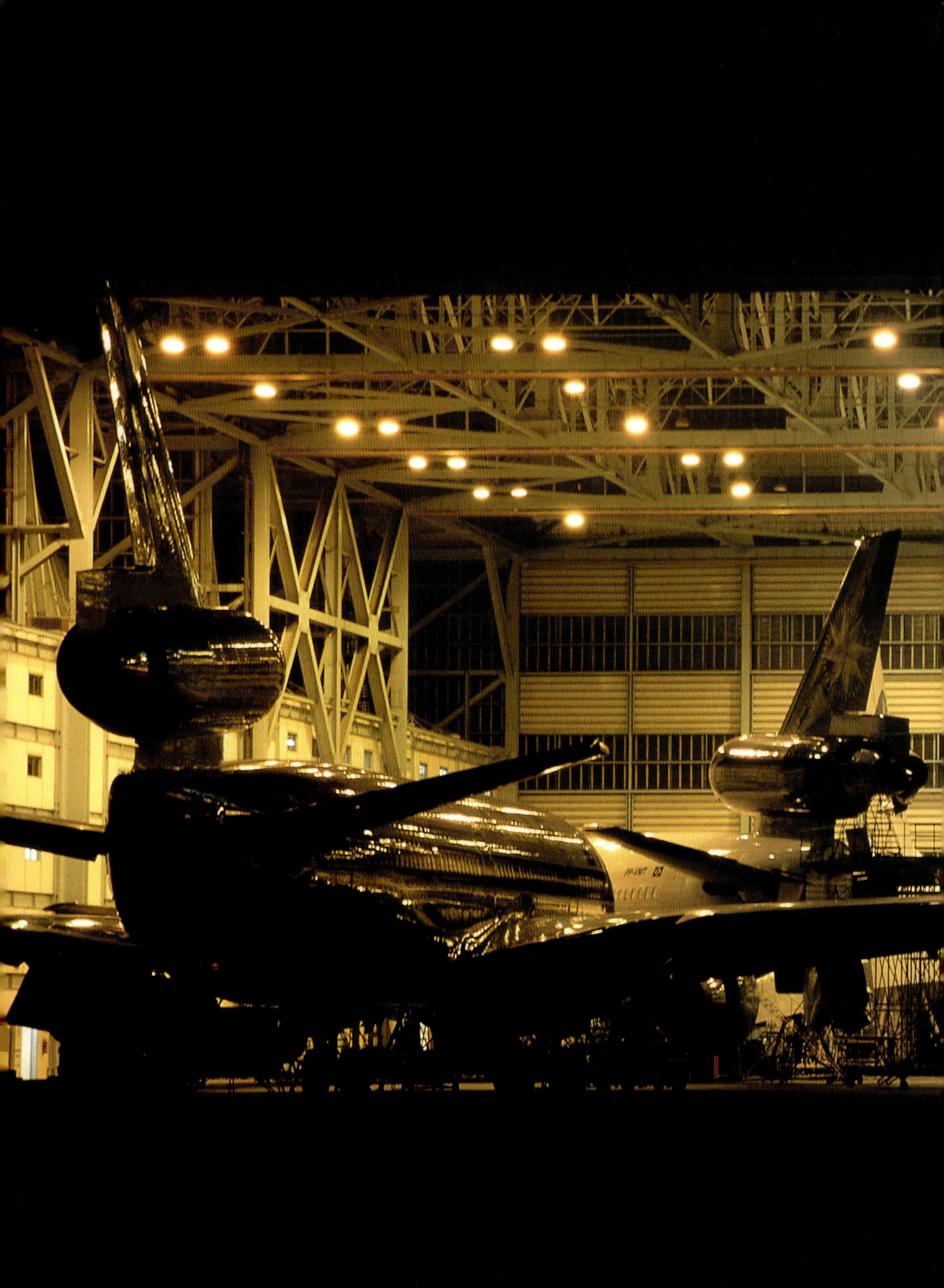

*O hangar da manutenção gira 24 horas sem parar.*

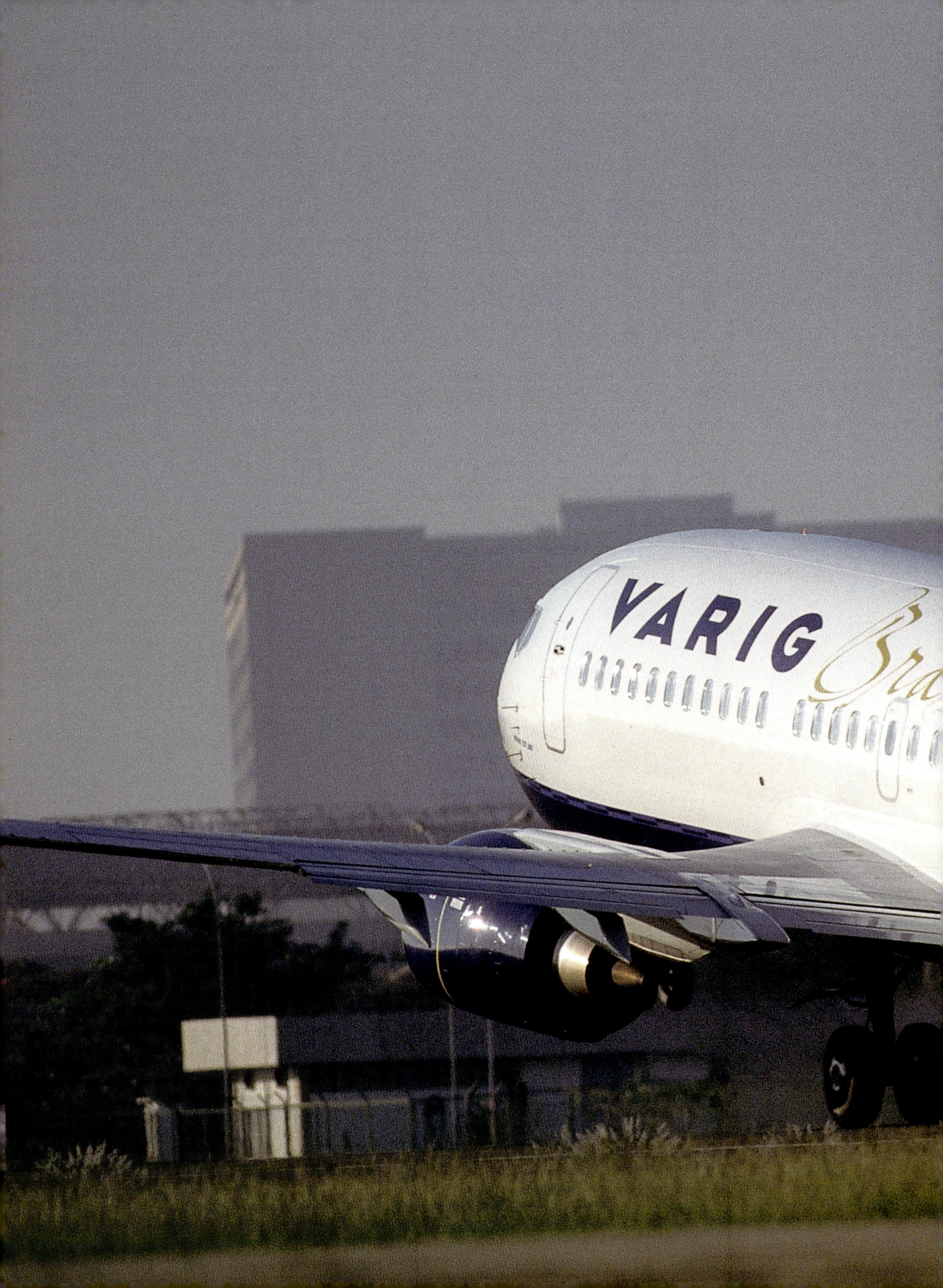
VARIG

*" Estrela brasileira no céu azul,
iluminando de norte a sul..."*

*Pouso do VARIG no interior do Rio Grande do Sul. Do início simples na casa Bromberg em Porto Alegre, aos ciscas de máquinas alemãs sobre os pampas, e de vôos pioneiros pela vastidão do interior, a VARIG explorou cada canto do céu espalhando Brasil pelo mundo afora. Crescida, continua enchendo de orgulho aqueles que sabem, existir nos céus uma estrela brasileira.*

VARIG
*Brasil*

VARIG VARIG VARIG
VARIG VARIG VARIG
VARIG VARIG VARIG
VARIG VARIG VARIG
VARIG VARIG VARIG
VARIG VARIG VARIG
VARIG VARIG VARIG
VARIG VARIG VARIG
VARIG VARIG VARIG
VARIG VARIG VARIG
VARIG VARIG VARIG
VARIG VARIG VARIG
VARIG VARIG VARIG
VARIG VARIG VARIG